实用汉语分级阅读丛书

甲级读本

我在中国的那些日子

崔永华　总主编

方　玲　编

北京语言大学出版社
BEIJING LANGUAGE AND CULTURE
UNIVERSITY PRESS

书是人们最知心的朋友，
现在如此，将来也永远如此。

**A good book is the best of friends,
the same today and for ever.**

致读者

"我知道的词汇太少了，我肯定不能读课本以外的汉语文章！"

"汉字太难了，读汉语的文章，根本不可能！"

嘿，朋友！你学习汉语多长时间了？你是不是也有过上面的那些想法？是不是偶尔也会失去信心？

是啊，汉字太难、生词太多，想要了解中国，想要看看用中文写的有趣故事，可是，手里除了上课的教材，哪里才能找到一本合适的书呢？

先说说你理想中的阅读书是什么样子的吧。

"不要那些不自然的句子，不要总是讲学校里的吃饭、上课，不要太多的练习，我只想放松一下，在等车等地铁的时候也可以看；我不想从头看到尾，我只挑自己感兴趣的看……"

"要简单，要轻松，要让我微笑，要让我了解中国的方方面面、点点滴滴，要适合我每个阶段的汉语水平，要让我在不知不觉中熟悉汉字、增加词汇……"

如果你的要求是这些，那么，看看这套书吧！简短的文章、有趣的话题、活泼的版式、生动的图片，让你看看中国人的生活、情感、烦恼，让你看看其他留学生的有趣经历，让你知道其他外国人眼中的中国——他们是不是写出了你心中想说而说不出来的话？

这套书，有拼音，可以帮助你朗读；有英文、韩文、日文的生词注释，可以帮助你流畅地阅读；有"阅读提示"，告诉你这篇文章要写些什么；有"你看懂了吗"，自问自答，让你自己考自己；有"我来写两句"，你可以把自己生活中的事情也写下来，编一本只属于你一个人的汉语书。

你会喜欢这样的书吗？

To Readers

"I don't know many words, so surely I can't read any other Chinese articles except the ones in the textbook!"

"Chinese characters are too difficult! It's quite out of the question to read a Chinese article!"

Hi, guys! How long have you learned Chinese language? Did you ever think in this way? Did you lose your heart once in a while?

Yes, you may have encountered too difficult Chinese characters and an overwhelming number of new words. If you want to learn China and read interesting stories written in Chinese, where is the right book besides the textbook in hand?

Please tell us first what your ideal book is.

"I don't want to read these unnatural sentences, neither do I want to read things always about having lunch or having a class at school. There are not many exercises in the book. I only want to relax and read this book while waiting for the bus or waiting for the subway. I don't want to read this book from the beginning to the end, either. Instead, I just want to sort out things that I am interested in..."

"It must be simple and easy. It will make me smile and help me understand all the aspects and every detail of China. It will suit my study of Chinese in every phase and make me familiar with Chinese characters and enlarge my vocabulary even before I notice it..."

If these are what you want, then, take a look at this series! The simple articles, interesting topics and lively format will guide you into the life, feelings and worries of Chinese people. You will know the interesting experiences of foreign students studying in China, and also see China through foreigners' eyes — Haven't they written something that is in your mind but hard to express?

Pinyin in this series helps you read aloud. The new words are annotated in English, Korean and Japanese, so that you can read the book fluently; the "Reading Tips" tells you what an article is about. The part "Have you understood it?" gives you a chance to test yourself. You can also write down things that happened in your life in "I have a few words to write" and work out a Chinese book of your own.

Will you like such a book?

책을 펴내며

"나는 아는 단어가 너무 없어서 교과서에 나오는 문장 외에 다른 중국어 문장은 읽지도 못할 거야!"

"한자가 너무 어려워서 중국어로 된 문장을 읽을 수가 없어!"

여러분! 중국어 공부하신 지 얼마나 됐나요? 이런 생각들을 해본 적이 있나요? 가끔 자신감을 잃을 때도 있나요?

그래요, 한자는 너무 어렵고, 모르는 단어도 너무 많죠. 중국을 이해하고 싶고, 중국어로 된 재미있는 이야기도 읽고 싶은데, 교과서 외에 어디에서 그런 책을 구할 수 있을까요?

먼저 여러분이 생각하는 이상적인 독해 교재에 대해 말해 보세요.

"자연스럽지 못한 문장, 학교에서 밥 먹고 수업하는 그런 얘기, 너무 많은 연습문제들은 필요 없다고요? 그저 가볍게 버스나 지하철을 기다리면서도 볼 수 있고, 보고 싶은 부분만 골라서도 볼 수 있는 …"

"간단하고, 가볍고, 읽으면서도 살짝 미소 지을 수 있고, 중국을 이해할 수 있고, 내 수준에 맞고, 자연스럽게 한자를 익히고 어휘를 늘릴 수 있는 …"

만약 여러분이 원하는 것이 이런 것들이라면, 이 책을 보세요! 간결한 문장, 재미있는 주제, 보기 편한 구성, 생동감 있는 그림이 여러분에게 중국인의 생활, 감정과 고민을 비롯하여 유학생들의 재미있었던 경험, 외국인들의 눈에 비친 중국을 보여주고 알게 해 줄 것입니다 —그들이 이미 여러분이 말하고 싶었지만 표현해내지 못했던 마음 속 생각들을 써놓지는 않았나요?

이 책은 발음이 표기되어 있어 낭독에 도움이 되고, 영어, 한국어, 일본어 단어 주석이 있어 쉽게 읽을 수 있습니다. "阅读提示"를 통해 문장이 말하려고 하는 내용이 무엇인지를 알 수 있고, "你看懂了吗"를 통해 스스로를 테스트할 수 있으며, "我来写两句"를 통해 생활에서 겪었던 일을 직접 씀으로써 자신만의 중국어 책을 만들 수 있도록 구성하였습니다.

어때요? 이런 책 마음에 드시나요?

読者の皆さんへ

"私は知ってる語彙が少ないから、教科書以外の本なんて絶対読めないよ！"

"漢字ってとっても難しい、中国語の文章なんて読めっこないよ！"

ちょっとそこのあなた！中国語勉強してどのくらいになりますか？ひょっとして今みたいに考えてるんじゃないですか？時々自信失くしちゃうことないですか？

そう、確かに漢字は難しいし、覚えなきゃいけない単語も多いですよね。中国のことを理解し、中国語の面白い文章を読んでみたい、でも今持っている授業の教材以外に、どうやって自分にぴったりの本を探せばいいのでしょう？

では、まずあなたの中の理想のリーディング教科書とはどんなものか考えて見てください。"

"不自然な文があったり、学校の中の食事や授業についての内容ばかりは困る、練習問題は少なめで、リラックスした状態で、バスを待ってるときや電車の中での時間を利用して読めたら；最初から最後まで読みたくない、興味のある内容だけ選んで読みたい…。"

"簡単で、堅苦しくなく、クスっと笑えて、中国の色んなことについて教えてくれる。少しずつゆっくりと進み、学習者それぞれの中国語レベルに合わせてくれ、知らず知らずのうちに漢字に親しめ、単語を覚えられる…。"

あなたがもしこんな風に考えているなら、この本を手にとってみてください！読みやすい文章、陽気なトピック、アクティブな構成、生き生きとした挿絵。あなたに中国人の生活、感じ方、悩みなどを教えてくれます。そして、他の留学生の経験した面白おかしい体験をお届けします；他の外国人が中国人をどのようにとらえているのか——彼らはひょっとしたら、あなたの中の言いたかったけどうまく言えなかった考えを代弁してくれるかもしれません。

このシリーズは本文にピンインがついており、朗読するときに便利です；新出単語には英語と韓国語と日本語訳がついており、スムーズに読み進むことができます。"阅读提示"では文章の要点をつかむことができます；"你看懂了吗"では自分自身で内容を読みとれたかどうか問いかけてもらう目的があります；"我来写两句"のコーナーでは自分の体験をテーマに沿って書いてみてください、そうすることで自分だけの本をつくれると思います。

こんな一冊、あなたに気に入っていただけるでしょうか？

目录

1

Lí   Jiā   de   Shíhou

离家的时候

to leave home

[Āisài'ébǐyà]   Fēndá
[埃塞俄比亚] 芬达
Ethiopia

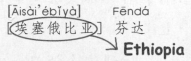

Yuèdú Tíshì:
阅读提示：

fùmǔ, parents

你离开过父母吗？离开过家吗？你还记得第一次离开家时的事情吗？在这里，非洲学生芬达给我们讲了他来中国前的故事。

Fēizhōu, Africa

Nǐ líkāiguo fùmǔ ma? Líkāiguo jiā ma? Nǐ hái jìde dì yī cì líkāi jiā shí de shìqing ma? Zài zhèli, Fēizhōu xuésheng Fēndá gěi wǒmen jiǎngle tā lái Zhōngguó qián de gùshi.

1

去年 4 月，我在办公室看到一个通知，上面说，我们公司要派一个职员到中国去学习通信专业。看到这个通知，我非常高兴，马上就报了名。不久公司通知我，我被选上了。

听到这个消息，我又高兴又担心。因为我知道父母的想法，他们都不太想让我出国，他们知道这件事一定不高兴。所以我一直没有告诉他们。把一切手续都办好以后，在离开家的前五天我才告诉他们。果然，他们听了很不高兴。妈妈对我说："你已经不小了，还没有结婚，没有孩子。你知道，我希望你早点儿结婚，早点儿要一个孩子。你为什么不听我的话？我不是你的妈妈吗？"爸爸说："你现在的工作不是很好吗？为什么还要出国

职员 zhíyuán
office worker

通信 tōngxìn
communication

专业 zhuānyè
speciality

选 xuǎn to select

担心 dān xīn
to worry

想法 xiǎngfa idea

出国 chū guó
to go abroad

手续 shǒuxù
procedure

果然 guǒrán
really, indeed

结婚 jié hūn
to marry

我在中国的那些日子

Qùnián sìyuè, wǒ zài bàngōngshì kàndào yí ge tōngzhī, shàngmian shuō, wǒmen gōngsī yào pài yí ge zhíyuán dào Zhōngguó qù xuéxí tōngxìn zhuānyè. Kàndào zhège tōngzhī, wǒ fēicháng gāoxìng, mǎshàng jiù bàole míng. Bùjiǔ gōngsī tōngzhī wǒ, wǒ bèi xuǎnshang le.

Tīngdào zhège xiāoxi, wǒ yòu gāoxìng yòu dānxīn. Yīnwèi wǒ zhīdao fùmǔ de xiǎngfa, tāmen dōu bú tài xiǎng ràng wǒ chūguó, tāmen zhīdao zhè jiàn shì yídìng bù gāoxìng. Suǒyǐ wǒ yìzhí méiyou gàosu tāmen. Bǎ yíqiè shǒuxù dōu bànhǎo yǐhòu, zài líkāi jiā de qián wǔ tiān wǒ cái gàosu tāmen. Guǒrán, tāmen tīngle hěn bù gāoxìng. Māma duì wǒ shuō: "Nǐ yǐjīng bù xiǎo le, hái méiyou jiéhūn, méiyou háizi. Nǐ zhīdao, wǒ xīwàng nǐ zǎo diǎnr jiéhūn, zǎo diǎnr yào yí ge háizi. Nǐ wèi shénme bù tīng wǒ de huà? Wǒ bú shì nǐ de māma ma?" Bàba shuō: "Nǐ xiànzài de gōngzuò bú shì hěn hǎo ma? Wèi shénme hái yào

离家的时候

3

20 呢？"我对他们说："一年以后我
就会回来，你们不用着急，你们还
有妹妹陪着，一年就像一天一样，
很快就会过去的。这次是一个很好
的机会，我是个年轻人，应该去学
25 习。等我回来以后就结婚，到那时
再要孩子也不晚。"

　　五天以后，我一个人到了机
场，在那里我给父母打了一个电
话。在电话里我对他们说："飞机
30 马上就要起飞了，我就要到中国去
了。再见，爸爸！再见，妈妈！"
放下电话，我心里想，我这次去中
国不是一年，我要在那里学习四
年。中国离埃塞俄比亚太远了，四
35 年里我不一定能回来。爸爸、妈
妈、妹妹，四年以后再见吧！我
亲爱的祖国——埃塞俄比亚，再见
吧！想到这里，我的眼泪一下子流
了下来。

陪 péi
to accompany

机会 jīhuì chance

就要 jiù yào
to be about to

起飞 qǐfēi
(of an aircraft) to take
off

亲爱 qīn'ài dear

祖国 zǔguó
motherland

眼泪 yǎnlèi tear

一下子 yíxiàzi
all of a sudden

chūguó ne?" Wǒ duì tāmen shuō: "Yì nián yǐhòu wǒ jiù huì huílai, nǐmen bú yòng zháojí, nǐmen hái yǒu mèimei péizhe, yì nián jiù xiàng yì tiān yíyàng, hěn kuài jiù huì guòqu de. Zhè cì shì yí ge hěn hǎo de jīhui, wǒ shì ge niánqīngrén, yīnggāi qù xuéxí. Děng wǒ huílai yǐhòu jiù jiéhūn, dào nàshí zài yào háizi yě bù wǎn."

Wǔ tiān yǐhòu, wǒ yí ge rén dàole jīchǎng, zài nàli wǒ gěi fùmǔ dǎle yí ge diànhuà. Zài diàn- huà li wǒ duì tāmen shuō: "Fēijī mǎshàng jiù yào qǐfēi le, wǒ jiù yào dào Zhōngguó qù le. Zàijiàn, bàba! Zàijiàn, māma!" Fàngxià diànhuà, wǒ xīnli xiǎng, wǒ zhè cì qù Zhōngguó bú shì yì nián, wǒ yào zài nàli xuéxí sì nián. Zhōngguó lí Āisài'ébǐyà tài yuǎn le, sì nián li wǒ bù yídìng néng huílai. Bàba, māma, mèimei, sì nián yǐhòu zàijiàn ba! Wǒ qīn'ài de zǔguó — Āisài'ébǐyà, zàijiàn ba! Xiǎngdào zhèli, wǒ de yǎnlèi yíxiàzi liúle xialai.

离家的时候

(1) 父母为什么不希望"我"出国学习?
　　Fùmǔ wèi shénme bù xīwàng "wǒ" chūguó xuéxí?

(2) "我"为什么一个人去了机场?
　　"Wǒ" wèi shénme yí ge rén qùle jīchǎng?

(3) "我"准备在中国学习几年?
　　"Wǒ" zhǔnbèi zài Zhōngguó xuéxí jǐ nián?

我在中国的那些日子

我来写两句

Wǒ Dì Yī Cì Lái Zhōngguó

我第一次来中国

[Ruìdiǎn] Màikè'ěr

[瑞典] 迈克尔

Sweden

yùdào, to come across

迈克尔第一次来中国就喜欢上了中国，因为他去了不少地方，遇到了很多有意思的事。你去过这些地方，遇到过这样的事吗？

Màikè'ěr dì yī cì lái Zhōngguó jiù xǐhuan shang le Zhōngguó, yīnwèi tā qùle bù shǎo dìfang, yùdàole hěn duō yǒu yìsi de shì. Nǐ qùguo zhèxiē dìfang, yùdàoguo zhèyàng de shì ma?

我第一次来中国是在1997年。那年6月，我跟一个朋友一起先去了香港，我们参加了香港回归的盛大庆典。我觉得很有意思，前一天
5 我们还在英国的香港，第二天我们却已经在中国的香港了。

一个星期以后，我们从香港坐火车去了桂林，在那儿住了六天。桂林的风景很美。那儿的人都跟我
10 们说："桂林山水甲天下。"看了以后，我觉得他们说得真对。

离开桂林，我们去了上海。上海虽然没有那么多公园和名胜古迹，可是它是一个发展很快、很有
15 活力的大城市。

在上海住了三四天以后，我们又去了北京。北京是中国的首都，是来中国旅游的人必须去的地方。因为北京有很多名胜古

香港 Xiānggǎng
Hong Kong

回归 huíguī
to return

盛大 shèngdà
grand

庆典 qìngdiǎn
celebration

英国 Yīngguó U. K.

桂林 Guìlín
name of a city

风景 fēngjǐng
scenery

山水 shānshuǐ
landscape

甲 jiǎ
first in a series

天下 tiānxià
the world or the
whole country

名胜古迹
míngshèng gǔjì
scenic spots and
historical sites

活力 huólì vitality

旅游 lǚyóu to travel

我在中国的那些日子

Wǒ dì yī cì lái Zhōngguó shì zài yī jiǔ jiǔ qī nián. Nà nián liùyuè, wǒ gēn yí ge péngyou yìqǐ xiān qùle Xiānggǎng, wǒmen cānjiāle Xiānggǎng huíguī de shèngdà qìngdiǎn. Wǒ juéde hěn yǒu yìsi, qián yì tiān wǒmen hái zài Yīngguó de Xiānggǎng, dì èr tiān wǒmen què yǐjīng zài Zhōngguó de Xiānggǎng le.

Yí ge xīngqī yǐhòu, wǒmen cóng Xiānggǎng zuò huǒchē qùle Guìlín, zài nàr zhùle liù tiān. Guìlín de fēngjǐng hěn měi. Nàr de rén dōu gēn wǒmen shuō: "Guìlín shānshuǐ jiǎ tiānxià." Kànle yǐhòu, wǒ juéde tāmen shuō de zhēn duì.

Líkāi Guìlín, wǒmen qùle Shànghǎi. Shànghǎi suīrán méiyou nàme duō gōngyuán hé míngshèng gǔjì, kěshì tā shì yí ge fāzhǎn hěn kuài、hěn yǒu huólì de dà chéngshì.

Zài Shànghǎi zhùle sān sì tiān yǐhòu, wǒmen yòu qùle Běijīng. Běijīng shì Zhōngguó de shǒudū, shì lái Zhōngguó lǚyóu de rén bìxū qù de dìfang. Yīnwèi Běijīng yǒu hěn duō míngshèng gǔjì, hái yǒu hěn duō

我第一次来中国

20 迹，还有很多好吃的、好玩儿
的。长城、故宫、天安门，等
等，北京该去的地方我和我的朋
友差不多都去了。我们还吃了烤
鸭，看了京剧。烤鸭很好吃，京
25 剧也很热闹，但是到现在我都不
知道他们唱的是什么。

　　这次来中国旅游，我们还遇
到了很多有意思的事儿。一次我们
参观故宫的时候，一个中国人拿着
30 照相机向我走过来。那时候我还不
会说汉语，他也不会说英语。我以
为他让我给他和他的孩子照相，但
是过了一会儿才明白，他想让他的
小孩儿和我一起照相。当时我很惊
35 讶，也很高兴。第二天我们去长城
的时候，又有一个中国人拿着照相
机向我走过来。他一过来，我就坐
在城墙上，笑着把他的小孩儿放在

长城 Chángchéng
Great Wall

故宫 Gù Gōng
Imperial Palace

等等 děngděng
and so on

差不多 chàbuduō
almost

烤鸭 kǎoyā
roast duck

京剧 jīngjù
Beijing opera

热闹 rènao lively

照相机
zhàoxiàngjī camera

明白 míngbai
to understand

当时 dāngshí
at that time

惊讶 jīngyà
surprised

城墙 chéngqiáng
city wall

hǎochī de、hǎowánr de. Chángchéng、Gù Gōng、Tiān'ān Mén, děngděng, Běijīng gāi qù de dìfang wǒ hé wǒ de péngyou chàbuduō dōu qù le. Wǒmen hái chīle kǎoyā, kànle jīngjù. Kǎoyā hěn hǎochī, jīngjù yě hěn rènao, dànshì dào xiànzài wǒ dōu bù zhīdào tāmen chàng de shì shénme.

Zhè cì lái Zhōngguó lǚyóu, wǒmen hái yùdàole hěn duō yǒu yìsi de shìr. Yí cì wǒmen cānguān Gù Gōng de shíhou, yí ge Zhōngguórén názhe zhàoxiàngjī xiàng wǒ zǒu guolai. Nà shíhou wǒ hái bú huì shuō Hànyǔ, tā yě bú huì shuō Yīngyǔ. Wǒ yǐwéi tā ràng wǒ gěi tā hé tā de háizi zhàoxiàng, dànshì guòle yíhuìr cái míngbai, tā xiǎng ràng tā de xiǎoháir hé wǒ yìqǐ zhàoxiàng. Dāngshí wǒ hěn jīngyà, yě hěn gāoxìng. Dì èr tiān wǒmen qù Chángchéng de shíhou, yòu yǒu yí ge Zhōngguórén názhe zhàoxiàngjī xiàng wǒ zǒu guolai. Tā yí guòlai, wǒ jiù zuò zài chéngqiáng shang, xiàozhe bǎ tā de xiǎoháir fàng zài tuǐ shang. Kěshì zhè cì,

我第一次来中国

腿上。可是这次，那个人不想给我
40 照相，他希望我给他和他的孩子照
相。当时我觉得真不好意思。

这一个多月里，中国给我留下
了很深的印象。欧洲和中国的差别
非常大，很多中国人觉得我们有些
45 奇怪：我们的样子，我们的语言和
我们的习惯。同样，我也觉得中国
人和我们很不一样。不过，也许这
正是我特别喜欢中国的原因。

从那时候起，我就开始学习汉
50 语，后来又来过几次中国。现在我
已经是第五次来中国了，这次来为
的就是好好儿学习中文。

不好意思
bù hǎoyìsi
to feel embarrassed

印象　yìnxiàng
impression

欧洲　Ōuzhōu
Europe

差别　chābié
difference

奇怪　qíguài
strange

同样　tóngyàng
same

原因　yuányīn
reason

好好儿　hǎohāor
hard

选自：北京语言大学汉语速成学院留学生作文选三《留学在中国》

我在中国的那些日子

nàge rén bù xiǎng gěi wǒ zhàoxiàng, tā xīwàng wǒ
gěi tā hé tā de háizi zhàoxiàng. Dāngshí wǒ juéde
zhēn bù hǎoyìsi.

Zhè yí ge duō yuè li, Zhōngguó gěi wǒ liúxiàle
hěn shēn de yìnxiàng. Ōuzhōu hé Zhōngguó de chā-
bié fēicháng dà, hěn duō Zhōngguórén juéde wǒ-
men yǒuxiē qíguài: wǒmen de yàngzi, wǒmen de
yǔyán hé wǒmen de xíguàn. Tóngyàng, wǒ yě juéde
Zhōngguórén hé wǒmen hěn bù yíyàng. Búguò, yěxǔ
zhè zhèng shì wǒ tèbié xǐhuan Zhōngguó de yuányīn.

Cóng nà shíhou qǐ, wǒ jiù kāishǐ xuéxí Hànyǔ,
hòulái yòu láiguo jǐ cì Zhōngguó. Xiànzài wǒ yǐjīng
shì dì wǔ cì lái Zhōngguó le, zhè cì lái wèi de jiù shì
hǎohāor xuéxí Zhōngwén.

我第一次来中国

Wǒ Lái Xiě Liǎng Jù

(1) "我"第一次来中国去了哪些城市?
　　"Wǒ" dì yī cì lái Zhōngguó qùle nǎxiē chéngshì?

(2) 为什么北京是来中国旅游的人必须去的地方?
　　Wèi shénme Běijīng shì lái Zhōngguó lǚyóu de rén bìxū qù de dìfang?

(3) "我"为什么特别喜欢中国?
　　"Wǒ" wèi shénme tèbié xǐhuan Zhōngguó?

我在中国的那些日子

我来写两句

_____

_____

_____

_____

_____

_____

_____

Wǒ Jiù Zài Zhōngguó Bù Zǒu le

我就在中国不走了

[Yīlǎng] Huà Jiādé
[伊朗] 华家德

Iran

Yuèdú Tíshì:
阅读提示：

zhuānyè, speciality

　　这位留学生上大学时学的是汉语专业，他很想来中国学习汉语。来到中国以后，他不想走了，他要在中国做什么呢？看了这篇文章你就知道了。

　　Zhè wèi liúxuéshēng shàng dàxué shí xué de shì Hànyǔ zhuānyè, tā hěn xiǎng lái Zhōngguó xuéxí Hànyǔ. Láidào Zhōngguó yǐhòu, tā bù xiǎng zǒu le, tā yào zài Zhōngguó zuò shénme ne? Kànle zhè piān wénzhāng nǐ jiù zhīdao le.

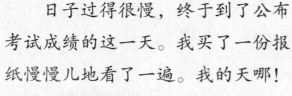

　　在我们国家，很多年轻人都希望能考上一个好大学，我也是这样。我爸爸想让我学计算机专业，但是我觉得我在语言方面很有天

5 赋，所以我选择了德黑兰大学的英语专业。

　　日子过得很慢，终于到了公布考试成绩的这一天。我买了一份报纸慢慢儿地看了一遍。我的天哪！

10 我考上大学了。"啊！德黑兰大学！"我高兴地喊了起来。我不敢相信自己的眼睛，所以又看了好几遍。没错！就是德黑兰大学！我高兴极了，甚至连什么专业也没看，

15 过了几分钟我才想起来，又看了一下报纸。"什么？汉语？汉语！"再看一下，对，就是汉语！这是哪个国家的语言？我当时一点儿也不清楚。但是，到德黑兰大学报了到，

考　kǎo
to give or take an examination

天赋　tiānfù　talent

选择　xuǎnzé
to select

德黑兰　Déhēilán
name of a city

终于　zhōngyú
finally

公布　gōngbù
to publish

报纸　bàozhǐ
newspaper

慢慢儿　mànmānr
gradually

我的天　wǒ de tiān
My God

甚至　shènzhì　even

当时　dāngshí
at that time

报到　bào dào
to register

Zài wǒmen guójiā, hěn duō niánqīngrén dōu xīwàng néng kǎoshang yí ge hǎo dàxué, wǒ yě shì zhèyàng. Wǒ bàba xiǎng ràng wǒ xué jìsuànjī zhuānyè, dànshì wǒ juéde wǒ zài yǔyán fāngmiàn hěn yǒu tiānfù, suǒyǐ wǒ xuǎnzéle Déhēilán Dàxué de Yīngyǔ zhuānyè.

Rìzi guòde hěn màn, zhōngyú dàole gōngbù kǎoshì chéngjì de zhè yì tiān. Wǒ mǎile yí fèn bàozhǐ mànmānr de kànle yí·biàn. Wǒ de tiān na! Wǒ kǎoshang dàxué le. "À! Déhēilán Dàxué!" Wǒ gāoxìng de hǎnle qilai. Wǒ bù gǎn xiāngxìn zìjǐ de yǎnjing, suǒyǐ yòu kànle hǎojǐ biàn. Méi cuò! Jiù shì Déhēilán Dàxué! Wǒ gāoxìng jí le, shènzhì lián shénme zhuānyè yě méi kàn, guòle jǐ fēnzhōng wǒ cái xiǎng qilai, yòu kànle yíxià bàozhǐ. "Shénme? Hànyǔ? Hànyǔ!" Zài kàn yíxià, duì, jiù shì Hànyǔ! Zhè shì nǎge guójiā de yǔyán? Wǒ dāngshí yìdiǎnr yě bù qīngchu. Dànshì, dào Déhēilán Dàxué bàole

我就在中国不走了

20 上了汉语课以后，我觉得汉语非常
有意思。第一年，我学习很努力，
真的变成了一个书呆子，天天在图
书馆里看书、看中国电视、听中文
磁带。

书呆子 shūdāizi
pedant, bookworm

25 　　假期的时候，我的一个朋友
要我跟他一起到中国旅游。我觉
得这是个好机会，而且机票也比
较便宜。可是，当我办好手续以
后，我的朋友又说不去了。太遗
30 憾了！·那我该怎么办呢？爸爸看我
那个样子，就说："你可以一个人
去嘛！"听了他的话，我高兴地抱
着他说："爸爸，我真爱你！"过
了几天，我就出发了。在飞机上，
35 我想，我一个人到中国去，肯定会
遇到很多麻烦和问题，但是没办法
了，要相信自己。为了少想这些麻
烦的事情，我就和旁边的两个乘客

假期 jiàqī
vacation

旅游 lǚyóu
to travel

机会 jīhuì
chance

机票 jīpiào
plane ticket

手续 shǒuxù
procedure

遗憾 yíhàn
regretful

乘客 chéngkè
passenger

dào, shàngle Hànyǔ kè yǐhòu, wǒ juéde Hànyǔ fēicháng yǒu yìsi. Dì yī nián, wǒ xuéxí hěn nǔlì, zhēn de biànchéngle yí ge shūdāizi, tiāntiān zài túshūguǎn li kàn shū、kàn Zhōngguó diànshì、tīng Zhōngwén cídài.

Jiàqī de shíhou, wǒ de yí ge péngyou yào wǒ gēn tā yìqǐ dào Zhōngguó lǚyóu. Wǒ juéde zhè shì ge hǎo jīhui, érqiě jīpiào yě bǐjiào piányi. Kěshì, dāng wǒ bànhǎo shǒuxù yǐhòu, wǒ de péngyou yòu shuō bú qù le. Tài yíhàn le! Nà wǒ gāi zěnme bàn ne? Bàba kàn wǒ nàge yàngzi, jiù shuō: "Nǐ kěyǐ yí ge rén qù ma!" Tīngle tā de huà, wǒ gāoxìng de bàozhe tā shuō: "Bàba, wǒ zhēn ài nǐ!" Guòle jǐ tiān, wǒ jiù chūfā le. Zài fēijī shang, wǒ xiǎng, wǒ yí ge rén dào Zhōngguó qù, kěndìng huì yùdào hěn duō máfan hé wèntí, dànshì méi bànfǎ le, yào xiāngxìn zìjǐ. Wèile shǎo xiǎng zhèxiē máfan de shìqing, wǒ jiù hé pángbiān de liǎng ge chéngkè liáoqǐ tiānr

我就在中国不走了

聊起天儿来。他们听说我学过汉
40 语，就对我说："我们两个是伊朗
武术教练，要到北京体育大学去学
习，你给我们当翻译吧。"我听了
他们的话，高兴地同意了。

　　到北京的第二天，那两个人
45 就开始学武术，我也开始第一次做
翻译。他们对我的工作很满意。看
到他们满意，我也很高兴，也更有
信心了。那十五天，我很少有机会
到外面去玩儿，不过我还是觉得很
50 幸运。我没想到能给别人当汉语翻
译，我觉得我是在做梦。

　　时间过得真快，十五天很快就
过去了，我该回国了。我真的不想
回国，但是没办法，我很不情愿地
55 离开了北京。

　　回到伊朗以后，我更加自信
了，因为在中国这半个月的时间

聊天儿 liáo tiānr
to chat

武术 wǔshù
wushu, martial arts

教练 jiàoliàn
coach

满意 mǎnyì
to satisfy

信心 xìnxīn
confidence

幸运 xìngyùn
fortunate, lucky

做梦 zuò mèng
to dream

情愿 qíngyuàn
to be willing to

自信 zìxìn
self-confident

lái. Tāmen tīngshuō wǒ xuéguo Hànyǔ, jiù duì wǒ shuō: "Wǒmen liǎng ge shì Yīlǎng wǔshù jiàoliàn, yào dào Běijīng Tǐyù Dàxué qù xuéxí, nǐ gěi wǒmen dāng fānyì ba." Wǒ tīngle tāmen de huà, gāoxìng de tóngyì le.

Dào Běijīng de dì èr tiān, nà liǎng ge rén jiù kāishǐ xué wǔshù, wǒ yě kāishǐ dì yī cì zuò fānyì. Tāmen duì wǒ de gōngzuò hěn mǎnyì. Kàndào tāmen mǎnyì, wǒ yě hěn gāoxìng, yě gèng yǒu xìnxīn le. Nà shíwǔ tiān, wǒ hěn shǎo yǒu jīhui dào wàimian qù wánr, búguò wǒ háishi juéde hěn xìngyùn. Wǒ méi xiǎngdào néng gěi biéren dāng Hànyǔ fānyì, wǒ juéde wǒ shì zài zuòmèng.

Shíjiān guò de zhēn kuài, shíwǔ tiān hěn kuài jiù guòqu le, wǒ gāi huí guó le. Wǒ zhēn de bù xiǎng huí guó, dànshì méi bànfǎ, wǒ hěn bù qíngyuàn de líkāile Běijīng.

Huídào Yīlǎng yǐhòu, wǒ gèngjiā zìxìn le, yīnwèi zài Zhōngguó zhè bàn ge yuè de shíjiān

我就在中国不走了

里，我的汉语进步很大。同时我
也感到学习语言必须有语言环境
60 才行，所以在大学三年级的时
候，我就打算毕业后到中国继续
学习汉语。

　　我终于又来到了中国——我最
喜欢的国家。这次来了就不准备回
65 国了，我打算就在这里发展，毕业
以后在这里娶个中国老婆。所以，
现在我最大的梦想是找一个理想的
女朋友，跟她谈三年恋爱，再跟她
结婚。我就在中国不走了！

进步 jìnbù
to progress

感到 gǎndào
to feel

毕业 bì yè
to graduate

娶 qǔ
to marry (a woman)

老婆 lǎopo wife

梦想 mèngxiǎng
dream

理想 lǐxiǎng ideal

恋爱 liàn'ài love

结婚 jié hūn
to marry

选自：北京语言大学汉语速成学院留学生作文选四《留学在中国》

li, wǒ de Hànyǔ jìnbù hěn dà. Tóngshí wǒ yě gǎndào xuéxí yǔyán bìxū yǒu yǔyán huánjìng cái xíng, suǒyǐ zài dàxué sān niánjí de shíhou, wǒ jiù dǎsuàn bìyè hòu dào Zhōngguó jìxù xuéxí Hànyǔ.

Wǒ zhōngyú yòu láidàole Zhōngguó — wǒ zuì xǐhuan de guójiā. Zhè cì láile jiù bù zhǔnbèi huí guó le, wǒ dǎsuàn jiù zài zhèli fāzhǎn, bìyè yǐhòu zài zhèli qǔ ge Zhōngguó lǎopo. Suǒyǐ, xiànzài wǒ zuì dà de mèngxiǎng shì zhǎo yí ge lǐxiǎng de nǚpéngyou, gēn tā tán sān nián liàn'ài, zài gēn tā jiéhūn. Wǒ jiù zài Zhōngguó bù zǒu le!

我就在中国不走了

Wǒ Lái Xiě Liǎng Jù

Nǐ Kàndǒngle ma?

你看懂了吗?

(1) 学习汉语以前，"我"知道汉语是哪国的语言吗?
Xuéxí Hànyǔ yǐqián, "wǒ" zhīdao Hànyǔ shì nǎ guó de yǔyán ma?

(2) 第一次来北京的时候，"我"在北京做什么了?
Dì yī cì lái Běijīng de shíhou, "wǒ" zài Běijīng zuò shénme le?

(3) 毕业后"我"打算在中国做什么?
Bìyè hòu "wǒ" dǎsuàn zài Zhōngguó zuò shénme?

我在中国的那些日子

我来写两句

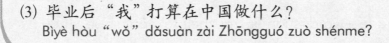

_____

_____

_____

_____

_____

_____

_____

Wǒ Wèi Shénme Ài Běijīng
我为什么爱北京

[Yìndùníxīyà] Wáng Huìfēn
[印度尼西亚] 王慧芬
→ Indonesia

Yuèdú Tíshì:
阅读提示:

　　作者去过中国的好几个城市，但是她最爱北京。你知道她为什么最爱北京吗？你是不是跟她一样也爱北京呢？

　　Zuòzhě qùguo Zhōngguó de hǎojǐ ge chéngshì; dànshì tā zuì ài Běijīng. Nǐ zhīdao tā wèi shénme zuì ài Běijīng ma? Nǐ shì bu shì gēn tā yíyàng yě ài Běijīng ne?

还记得第一次来北京是五年前的夏天。我跟家人一起从印度尼西亚来到中国，我们去了北京、上海、广州等几个城市。这几个城市

5　都很不错，可是我还是比较喜欢北京。离开北京的时候，我真有点儿不想走，心里想，要是以后有机会，我一定再来北京。

　　也许爸爸妈妈知道了我的想

10　法。去年春天，他们送我来北京语言大学学习汉语。我的爸爸是从中国去印度尼西亚的华侨，他会说汉语，可是我既听不懂，又不会说。我是一个中国人，可我对中国的了

15　解真是太少了。爸爸和妈妈很希望我在中国学完以后能流利地说汉语，也希望我能更多地了解中国的文化和历史。作为一个海外的中国人，得到这个来北京学习的机会，

| 记得 jìde to remember |
| 广州 Guǎngzhōu name of a city |
| 机会 jīhuì chance |
| 想法 xiǎngfa idea |
| 华侨 huáqiáo overseas Chinese |
| 既……又…… jì……yòu…… both...and ..., as well as |
| 流利 liúlì fluent |
| 作为 zuòwéi as |

Hái jìde dì yī cì lái Běijīng shì wǔ nián qián de xiàtiān. Wǒ gēn jiārén yìqǐ cóng Yìndùníxīyà láidào Zhōngguó, wǒmen qùle Běijīng、Shànghǎi、Guǎngzhōu děng jǐ ge chéngshì. Zhè jǐ ge chéngshì dōu hěn búcuò, kěshì wǒ háishi bǐjiào xǐhuan Běijīng. Líkāi Běijīng de shíhou, wǒ zhēn yǒudiǎnr bù xiǎng zǒu, xīnli xiǎng, yàoshi yǐhòu yǒu jīhui, wǒ yídìng zài lái Běijīng.

Yěxǔ bàba māma zhīdaole wǒ de xiǎngfa. Qùnián chūntiān, tāmen sòng wǒ lái Běijīng Yǔyán Dàxué xuéxí Hànyǔ. Wǒ de bàba shì cóng Zhōngguó qù Yìndùníxīyà de huáqiáo, tā huì shuō Hànyǔ, kěshì wǒ jì tīng bu dǒng, yòu bú huì shuō. Wǒ shì yí ge Zhōngguórén, kě wǒ duì Zhōngguó de liǎojiě zhēnshi tài shǎo le. Bàba hé māma hěn xīwàng wǒ zài Zhōngguó xuéwán yǐhòu néng liúlì de shuō Hànyǔ, yě xīwàng wǒ néng gèng duō de liǎojiě Zhōngguó de wénhuà hé lìshǐ. Zuòwéi yí ge hǎiwài de Zhōngguórén, dédào zhège lái Běijīng xuéxí de

我为什么爱北京

20 我非常高兴，因为在北京我可以学
到地道的汉语，也可以更好地了解
北京。

北京是一个比较独特的城市，
有很多名胜古迹。我觉得最有名的
25 是故宫、颐和园和长城。这些地方
我都去过了，每个地方都有自己的
一段历史，都有很多动人的故事。
尤其是故宫，那是皇帝住过的地
方，有很多有意思的传说。

30 北京还有很多有名的美食，像
北京烤鸭、炸酱面、涮羊肉等都很
好吃。而且，吃这些东西的时候也
可以了解中国文化。我在北京一边
学习汉语，一边了解中国的历史和
35 文化，生活又紧张又有意思。

我很喜欢北京。可是刚来北
京的时候，还是有点儿不太习惯。
一是北京的空气比较差；二是北京

地道 dìdao
idiomatic

独特 dútè unique

名胜古迹
míngshèng gǔjì
scenic spots and
historical sites

故宫 Gù Gōng
Imperial Palace

颐和园 Yíhé Yuán
Summer Palace

长城 Chángchéng
Great Wall

动人 dòngrén moving

皇帝 huángdì emperor

传说 chuánshuō
legend

美食 měishí
delicious food

烤鸭 kǎoyā roast duck

炸酱面
zhájiàngmiàn
noodles with fried sauce

涮羊肉
shuànyángròu
boiled mutton

紧张 jǐnzhāng busy

jīhui, wǒ fēicháng gāoxìng, yīnwèi zài Běijīng wǒ kěyǐ xuédào dìdao de Hànyǔ, yě kěyǐ gèng hǎo de liǎojiě Běijīng.

Běijīng shì yí ge bǐjiào dútè de chéngshì, yǒu hěn duō míngshèng gǔjì. Wǒ juéde zuì yǒumíng de shì Gù Gōng、Yíhé Yuán hé Chángchéng. Zhèxiē dìfang wǒ dōu qùguo le, měi ge dìfang dōu yǒu zìjǐ de yí duàn lìshǐ, dōu yǒu hěn duō dòngrén de gùshi. Yóuqí shì Gù Gōng, nà shì huángdì zhùguo de dìfang, yǒu hěn duō yǒu yìsi de chuánshuō.

Běijīng hái yǒu hěn duō yǒumíng de měishí, xiàng Běijīng kǎoyā、zhájiàngmiàn、shuànyángròu děng dōu hěn hǎochī. Érqiě, chī zhèxiē dōngxi de shíhou yě kěyǐ liǎojiě Zhōngguó wénhuà. Wǒ zài Běijīng yìbiān xuéxí Hànyǔ, yìbiān liǎojiě Zhōngguó de lìshǐ hé wénhuà, shēnghuó yòu jǐnzhāng yòu yǒu yìsi.

Wǒ hěn xǐhuan Běijīng. Kěshì gāng lái Běijīng de shíhou, háishi yǒudiǎnr bú tài xíguàn. Yī shì Běijīng de kōngqì bǐjiào chà; èr shì Běijīng de tiānqì

我为什么爱北京

29

的天气变化很大，气候也很干燥；
40 三是北京人说话我常常听不懂。可
是现在这些我都已经习惯了。刚开
始，我觉得北京人说话的时候声音
比较大，好像生气一样。可是后来
我常常跟中国朋友一起聊天儿，一
45 起玩儿，慢慢儿了解了北京人。其
实北京人很客气，也很热情。说话
声音大是他们的习惯。我了解了这
些以后，和很多北京人交了朋友，
他们常常帮助我。我觉得我在北京
50 就像在家一样。

　　我去过世界上许多城市，可
是北京是我永远不能忘记的。我喜
欢北京的名胜古迹，我喜欢北京的
美食，我更喜欢北京人。要是你问
55 我最喜欢哪个城市，我一定会说：
"我最爱北京！"

气候 qìhòu climate

干燥 gānzào dry

生气 shēng qì
to get angry

聊天儿 liáo tiānr
to chat

慢慢儿 mànmānr
gradually

其实 qíshí in fact

忘记 wàngjì
to forget

我在中国的那些日子

原名：《我最爱北京》
选自：北京语言大学汉语速成学院留学生作文选四《留学在中国》

biànhuà hěn dà, qìhòu yě hěn gānzào; sān shì Běijīngrén shuōhuà wǒ chángcháng tīng bu dǒng. Kěshì xiànzài zhèxiē wǒ dōu yǐjīng xíguàn le. Gāng kāishǐ, wǒ juéde Běijīngrén shuōhuà de shíhou shēngyīn bǐjiào dà, hǎoxiàng shēngqì yíyàng. Kěshì hòulái wǒ chángcháng gēn Zhōngguó péngyou yìqǐ liáotiānr, yìqǐ wánr, mànmānr liǎojiěle Běijīngrén. Qíshí Běijīngrén hěn kèqi, yě hěn rèqíng. Shuōhuà shēngyīn dà shì tāmen de xíguàn. Wǒ liǎojiěle zhèxiē yǐhòu, hé hěn duō Běijīngrén jiāole péngyou, tāmen chángcháng bāngzhù wǒ. Wǒ juéde wǒ zài Běijīng jiù xiàng zài jiā yíyàng.

Wǒ qùguo shìjiè shang xǔduō chéngshì, kěshì Běijīng shì wǒ yǒngyuǎn bù néng wàngjì de. Wǒ xǐhuan Běijīng de míngshèng gǔjì, wǒ xǐhuan Běijīng de měishí, wǒ gèng xǐhuan Běijīngrén. Yàoshi nǐ wèn wǒ zuì xǐhuan nǎge chéngshì, wǒ yídìng huì shuō: "Wǒ zuì ài Běijīng!"

我为什么爱北京

Nǐ Kàndǒngle ma?
你看懂了吗?

(1) 爸爸、妈妈对"我"的希望是什么?
Bàba、māma duì "wǒ" de xīwàng shì shénme?

(2) 刚来北京时，"我"为什么不习惯?
Gāng lái Běijīng shí, "wǒ" wèi shénme bù xíguàn?

(3) "我"为什么最爱北京?
"Wǒ" wèi shénme zuì ài Běijīng?

我在中国的那些日子

我来写两句

_____

_____

_____

_____

_____

_____

_____

Wǒ Lǐxiǎng de Gōngzuò
我理想的工作

ideal

[Éluósī] Mǎlìnà
[俄罗斯] 玛丽娜

→ Russia

Yuèdú Tíshì:
阅读提示:

　　每个人都希望有一个理想的工作，玛丽娜想当一名中文翻译。她为什么想当翻译呢？请看看这篇文章吧。

　　Měi ge rén dōu xīwàng yǒu yí ge lǐxiǎng de gōngzuò. Mǎlìnà xiǎng dāng yì míng Zhōngwén fānyì. Tā wèi shénme xiǎng dāng fānyì ne? Qǐng kànkan zhè piān wénzhāng ba.

我以前问过自己很多次，我喜欢什么样的工作。我的想法总是在变。我觉得理想的工作应该是那种既能锻炼我的能力，又很有意思的
5 工作。

现在我觉得，我理想的工作是当翻译。因为我学的是中文专业，我希望能把自己学的知识更多地用到工作中。比如说，我可以在俄
10 罗斯和中国合资的公司工作。俄罗斯和中国的关系越来越好，这样的公司也越来越多，这就为我们这些学习汉语的学生提供了很多的机会。另外，做翻译是非常有
15 意思的，因为翻译的内容总是在变化。我可以在工作的同时不断地学习新的知识。再有就是，当翻译需要和很多人交流，参加很多活动，这对我的能力也是很好的锻炼。我

| 想法 xiǎngfa idea |
| 既……又…… jì……yòu…… both...and ..., as well as |
| 能力 nénglì ability |
| 专业 zhuānyè speciality |
| 比如 bǐrú for example |
| 合资 hézī joint venture |
| 越来越 yuè lái yuè even more |
| 提供 tígōng to provide |
| 机会 jīhuì chance |
| 另外 lìngwài besides |
| 不断 búduàn unceasing, continuous |
| 交流 jiāoliú to exchange, to communicate |

Wǒ yǐqián wènguo zìjǐ hěn duō cì, wǒ xǐhuan shénme yàng de gōngzuò. Wǒ de xiǎngfa zǒng shì zài biàn. Wǒ juéde lǐxiǎng de gōngzuò yīnggāi shì nà zhǒng jì néng duànliàn wǒ de nénglì, yòu hěn yǒu yìsi de gōngzuò.

Xiànzài wǒ juéde, wǒ lǐxiǎng de gōngzuò shì dāng fānyì. Yīnwèi wǒ xué de shì Zhōngwén zhuānyè, wǒ xīwàng néng bǎ zìjǐ xué de zhīshi gèng duō de yòngdào gōngzuò zhōng. Bǐrú shuō, wǒ kěyǐ zài Éluósī hé Zhōngguó hézī de gōngsī gōngzuò. Éluósī hé Zhōngguó de guānxi yuè lái yuè hǎo, zhèyàng de gōngsī yě yuè lái yuè duō, zhè jiù wèi wǒmen zhèxiē xuéxí Hànyǔ de xuésheng tígōngle hěn duō de jīhui. Lìngwài, zuò fānyì shì fēicháng yǒu yìsi de, yīnwèi fānyì de nèiróng zǒngshì zài biànhuà. Wǒ kěyǐ zài gōngzuò de tóngshí búduàn de xuéxí xīn de zhīshi. Zài yǒu jiù shì, dāng fānyì xūyào hé hěn duō rén jiāoliú, cānjiā hěn duō huódòng, zhè duì wǒ de nénglì yě

我理想的工作

20 还可能经常出差，这对我来说没
有问题，因为我很喜欢旅游，喜欢
到处走一走、看一看。当然，做
翻译还有一个好处，那就是薪水
高，而且可以经常加薪。还有，我
25 觉得翻译工作很有意义，通过翻
译，我可以把俄罗斯的文化介绍给
中国，也可以帮助俄罗斯人更多地
了解中国。

　　由于翻译工作的特点，我觉得
30 它很适合我，是我理想的工作，所
以我会为我的理想而努力学习的。

出差 chū chāi
to be on a business trip

旅游 lǚyóu to travel

薪水 xīnshui salary

加薪 jiā xīn
to raise sb.'s salary

特点 tèdiǎn
characteristic

适合 shìhé
to fit, to suit

选自：北京语言大学汉语速成学院留学生作文选五《留学在中国》

shì hěn hǎo de duànliàn. Wǒ hái kěnéng jīngcháng chūchāi, zhè duì wǒ lái shuō méiyou wèntí, yīnwèi wǒ hěn xǐhuan lǚyóu, xǐhuan dàochù zǒu yi zǒu、kàn yi kàn. Dāngrán, zuò fānyì hái yǒu yí ge hǎochu, nà jiù shì xīnshui gāo, érqiě kěyǐ jīngcháng jiāxīn. Hái yǒu, wǒ juéde fānyì gōngzuò hěn yǒu yìyì. Tōngguò fānyì, wǒ kěyǐ bǎ Éluósī de wénhuà jièshào gěi Zhōngguó, yě kěyǐ bāngzhù Éluósīrén gèng duō de liǎojiě Zhōngguó.

我理想的工作

Yóuyú fānyì gōngzuò de tèdiǎn, wǒ juéde tā hěn shìhé wǒ, shì wǒ lǐxiǎng de gōngzuò, suǒyǐ wǒ huì wèi wǒ de lǐxiǎng ér nǔlì xuéxí de.

Wǒ Lái Xiě Liǎng Jù

(1) "我"有机会到俄罗斯和中国合资的公司工作吗?
为什么?
"Wǒ" yǒu jīhui dào Éluósī hé Zhōngguó hézī de gōngsī
gōngzuò ma? Wèi shénme?

(2) "我"觉得做翻译工作有哪些好处?
"Wǒ" juéde zuò fānyì gōngzuò yǒu nǎxiē hǎochu?

我在中国的那些日子

我来写两句

6

Wǒmen de Hǎo Bānzhǎng

我们的好班长

class monitor

[Hánguó] Mǐn Xiàojī

[韩国] 闵孝基

Republic of Korea

Yuèdú Tíshì:
阅读提示:

rèxīn, enthusiastic

这位韩国学生非常喜欢他们的班长,因为他们的班长很热心,学习很努力。班长还有一些别的优点,你想知道吗?请你自己看看吧。

yōudiǎn, virtue

Zhè wèi Hánguó xuésheng fēicháng xǐhuan tāmen de bānzhǎng, yīnwèi tāmen de bānzhǎng hěn rèxīn, xuéxí hěn nǔlì. Bānzhǎng hái yǒu yìxiē bié de yōudiǎn, nǐ xiǎng zhīdao ma? Qǐng nǐ zìjǐ kànkan ba.

39

我们班有一个特别的人，那就是我们的班长。他的名字叫黄哲夏，可是没有人叫他的名字，认识他的人都叫他"班长"。我们

5 班同学叫他"班长"，三位老师叫他"班长"，别的班的学生也叫他"班长"。为什么都叫他"班长"呢？让我来慢慢儿告诉你。

我们班长是一个热心人。他

10 每天都帮助老师做很多事，也常常帮助同学。同学们有了麻烦都找他。他关心每一位同学，既关心我们的学习，也关心我们的生活。他特别关心我们班的女同

15 学，我们班的女同学都很漂亮，所以我们常常开玩笑说，班长是"花花公子"。

我们班长是一个很努力的人。他学习很努力，每天按时上课，上

黄哲夏
Huáng Zhéxià
name of a person

慢慢儿　mànmānr
slowly

花花公子
huāhuā gōngzǐ
playboy

按时　ànshí　on time

Wǒmen bān yǒu yí ge tèbié de rén, nà jiù shì wǒmen de bānzhǎng. Tā de míngzi jiào Huáng Zhéxià, kěshì méiyou rén jiào tā de míngzi, rènshi tā de rén dōu jiào tā "bānzhǎng". Wǒmen bān tóngxué jiào tā "bānzhǎng", sān wèi lǎoshī jiào tā "bānzhǎng", bié de bān de xuésheng yě jiào tā "bānzhǎng". Wèi shénme dōu jiào tā "bānzhǎng" ne? Ràng wǒ lái mànmānr gàosu nǐ.

Wǒmen bānzhǎng shì yí ge rèxīnrén. Tā měi tiān dōu bāngzhù lǎoshī zuò hěn duō shì, yě chángcháng bāngzhù tóngxué. Tóngxuémen yǒule máfan dōu zhǎo tā. Tā guānxīn měi yí wèi tóngxué, jì guānxīn wǒmen de xuéxí, yě guānxīn wǒmen de shēnghuó. Tā tèbié guānxīn wǒmen bān de nǚ tóngxué, wǒmen bān de nǚ tóngxué dōu hěn piàoliang, suǒyǐ wǒmen chángcháng kāi wánxiào shuō, bānzhǎng shì "huāhuā gōngzǐ".

Wǒmen bānzhǎng shì yí ge hěn nǔlì de rén. Tā xuéxí hěn nǔlì, měi tiān ànshí shàngkè,

我们的好班长

20 课的时候认真学习，下了课他还
会复习、预习、做很多练习。他
有很多"姐姐"：大姐、二姐和三
姐。她们都是宿舍的服务员，班
长常跟她们练习口语。班长的发
25 音不太好，可是我觉得最近他的
进步很快。

班长是一个很有毅力的人。他
说，没有好的身体就不能很好地
学习。他每天早上、晚上都要锻
30 炼身体，即使刮风、下雨，他也
坚持锻炼。最近他瘦了，可是看
上去更帅了。

班长很有才干。他常常组织班
里的活动：开生日晚会、去公园爬
35 山、叫班里的同学一起吃饭。他喜
欢做菜，会做韩国菜。最近他正在
学习做印尼菜。我吃过他做的咖
喱牛肉，真好吃。他照相照得也

发音 fāyīn
pronunciation

进步 jìnbù
to progress

毅力 yìlì
willpower

刮风 guā fēng
to blow

瘦 shòu thin

帅 shuài
handsome

才干 cáigàn
ability

印尼 Yìnní
abbreviation for
Indonesia

咖喱 gālí curry

牛肉 niúròu beef

shàngkè de shíhou rènzhēn xuéxí, xiàle kè tā
hái huì fùxí、yùxí、zuò hěn duō liànxí. Tā yǒu
hěn duō "jiějie": dàjiě、èrjiě hé sānjiě. Tāmen
dōu shì sùshè de fúwùyuán, bānzhǎng cháng
gēn tāmen liànxí kǒuyǔ. Bānzhǎng de fāyīn bú
tài hǎo, kěshì wǒ juéde zuìjìn tā de jìnbù hěn
kuài.

我们的好班长

Bānzhǎng shì yí ge hěn yǒu yìlì de rén. Tā
shuō, méiyou hǎo de shēntǐ jiù bù néng hěn hǎo
de xuéxí. Tā měi tiān zǎoshang、wǎnshang dōu
yào duànliàn shēntǐ, jíshǐ guā fēng、xià yǔ, tā
yě jiānchí duànliàn. Zuìjìn tā shòu le, kěshì kàn
shangqu gèng shuài le.

Bānzhǎng hěn yǒu cáigàn. Tā chángcháng
zǔzhī bān li de huódòng: kāi shēngrì wǎnhuì,
qù gōngyuán pá shān, jiào bān li de tóngxué yìqǐ
chī fàn. Tā xǐhuan zuò cài, huì zuò Hánguó cài.
Zuìjìn tā zhèngzài xuéxí zuò Yìnní cài. Wǒ chīguo
tā zuò de gālí niúròu, zhēn hǎochī. Tā zhàoxiàng

40　不错，他给我们照的相片我们都很满意。

我们的班长是一位常常给大家带来快乐的人。班里有了他，就常常有笑声。别的班的同学也都很羡慕我们。

相片 xiàngpiàn
photograph

满意 mǎnyì
to satisfy

快乐 kuàilè
happy

笑声 xiàoshēng
laughter

羡慕 xiànmù
to admire

原名：《我们的班长》

选自：北京语言大学汉语速成学院留学生作文选五《留学在中国》

我来写两句

zhào de yě búcuò, tā gěi wǒmen zhào de xiàngpiàn wǒmen dōu hěn mǎnyì.

Wǒmen de bānzhǎng shì yí wèi chángcháng gěi dàjiā dàilái kuàilè de rén. Bān li yǒule tā, jiù chángcháng yǒu xiàoshēng. Bié de bān de tóngxué yě dōu hěn xiànmù wǒmen.

我们的好班长

Wǒ Lái Xiě Liǎng Jù

(1) 为什么大家都开玩笑说，班长是个"花花公子"？
Wèi shénme dàjiā dōu kāi wánxiào shuō, bānzhǎng shì ge "huāhuā gōngzǐ"?

(2) 班长的"姐姐们"是做什么工作的？
Bānzhǎng de "jiějiemen" shì zuò shénme gōngzuò de?

(3) 班长为什么每天坚持锻炼身体？
Bānzhǎng wèi shénme měi tiān jiānchí duànliàn shēntǐ?

(4) 这篇文章讲到了班长哪些优点？（简单回答）
Zhè piān wénzhāng jiǎngdàole bānzhǎng nǎxiē yōudiǎn?
(jiǎndān huídá)

我在中国的那些日子

我来写两句

_____

_____

_____

_____

_____

_____

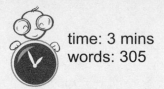

Yí Jiàn Yǒuqù de Shì
一件有趣的事

interesting

[Hánguó] Jiāng Měixiāng
[韩国] 姜美香
→ Republic of Korea

Yuèdú Tíshì:
阅读提示:

kěxiào, ridiculous

我们都常说"对不起"和"没关系"。可是，姜美香说这两句话的时候却发生了很可笑的事情。你刚学汉语的时候也有过这样的经历吗？

jīnglì, experience

Wǒmen dōu cháng shuō "duìbuqǐ" hé "méi guānxi". Kěshì, Jiāng Měixiāng shuō zhè liǎng jù huà de shíhou què fāshēngle hěn kěxiào de shìqing. Nǐ gāng xué Hànyǔ de shíhou yě yǒuguo zhèyàng de jīnglì ma?

47

前年我来北京旅游，那时候，我还不认识汉字，只会说"对不起"和"没关系"，所以跟中国人说话的时候，我总是很紧张。

5　　有一天，我去天安门广场，那天，广场上到处都是人。我只注意看广场周围那些漂亮的建筑，没有注意旁边的人。我不小心踩了一个人的脚，而且踩得很重，那个人很

10　生气，大声地向我喊。我觉得很不好意思，想向她道歉，可是我一紧张就不知道该说什么了。我红着脸，看了她好一会儿，突然想起来了。我笑着对她说："没关系，

15　没关系！"可是她更生气了，狠狠地看了我一眼，然后就走了。我更紧张了。我想，我已经向她道歉了，她为什么还那么生气呢？我觉得那个人太不懂礼貌了。后来我才

前年 qiánnián
the year before last

旅游 lǚyóu to travel

紧张 jǐnzhāng
nervous

广场 guǎngchǎng
square

到处 dàochù
everywhere

建筑 jiànzhù
building

小心 xiǎoxīn
to be cautious

踩 cǎi to step upon

重 zhòng heavy

生气 shēng qì
to get angry

不好意思
bù hǎoyìsi
to feel embarrassed

道歉 dào qiàn
to apologize

突然 tūrán
suddenly

狠狠地 hěnhěn de
ferociously

礼貌 lǐmào courtesy

Qiánnián wǒ lái Běijīng lǚyóu, nà shíhou,
wǒ hái bú rènshi Hànzì, zhǐ huì shuō "duìbuqǐ" hé
"méi guānxi", suǒyǐ gēn Zhōngguórén shuōhuà de
shíhou, wǒ zǒng shì hěn jǐnzhāng.

Yǒu yì tiān, wǒ qù Tiān'ān Mén Guǎngchǎng,
nà tiān, guǎngchǎng shang dàochù dōu shì rén. Wǒ
zhǐ zhùyì kàn guǎngchǎng zhōuwéi nàxiē piàoliang
de jiànzhù, méiyou zhùyì pángbiān de rén. Wǒ
bù xiǎoxīn cǎile yí ge rén de jiǎo, érqiě cǎi de hěn
zhòng, nàge rén hěn shēngqì, dàshēng de xiàng
wǒ hǎn. Wǒ juéde hěn bù hǎoyìsi, xiǎng xiàng tā
dàoqiàn, kěshì wǒ yì jǐnzhāng jiù bù zhīdào gāi
shuō shénme le. Wǒ hóngzhe liǎn, kànle tā hǎo
yíhuìr, tūrán xiǎng qilai le. Wǒ xiàozhe duì tā shuō:
"Méi guānxi, méi guānxi!" Kěshì tā gèng shēngqì
le, hěnhěn de kànle wǒ yì yǎn, ránhòu jiù zǒu le.
Wǒ gèng jǐnzhāng le. Wǒ xiǎng, wǒ yǐjīng xiàng tā
dàoqiàn le, tā wèi shénme hái nàme shēngqì ne?
Wǒ juéde nàge rén tài bù dǒng lǐmào le. Hòulái wǒ

一件有趣的事

20 明白，那个人为什么生我的气。现
在我想起这件事还觉得很可笑。

明白 míngbai
to understand

原名：《逸闻趣事》

选自：北京语言大学汉语速成学院留学生作文选四《留学在中国》

我在中国的那些日子

我来写两句

cái míngbai, nàge rén wèi shénme shēng wǒ de qì.

Xiànzài wǒ xiǎngqǐ zhè jiàn shì hái juéde hěn kěxiào.

一件有趣的事

Wǒ Lái Xiě Liǎng Jù

_____

_____

_____

_____

_____

_____

_____

_____

_____

_____

_____

_____

(1) "我" 为什么踩了那个人的脚?
　　"Wǒ" wèi shénme cǎile nàge rén de jiǎo?

(2) "我" 已经向那个人 "道歉" 了, 她为什么更生气了?
　　"Wǒ" yǐjīng xiàng nàge rén "dàoqiàn" le, tā wèi shénme
　　gèng shēngqì le?

我在中国的那些日子

我来写两句

_____

_____

_____

_____

_____

_____

_____

_____

_____

_____

time: 6 mins
words: 583

8

"Zhǐ   Huǒchē   Bǐ"   de   Xiàohua

"纸火车笔"的笑话

→ joke

[Gāngguǒ (Jīn)] Ānàkèshā

[刚果(金)] 阿那克沙

→ The Democratic Republic of the Congo

Yuèdú Tíshì:
阅读提示:

→ cāi, to guess

你能猜出"纸火车笔"是什么意思吗？这是作者刚学汉语时，因为发音不太好闹出的笑话。学汉语一定要注意发音啊！

Nǐ néng cāichū "zhǐ huǒchē bǐ" shì shénme yìsi ma? Zhè shì zuòzhě gāng xué Hànyǔ shí, yīnwèi fāyīn bú tài hǎo nàochū de xiàohua. Xué Hànyǔ yídìng yào zhùyì fāyīn a!

53

我开始学汉语是在北京语言学院，现在叫北京语言大学。我们班有15个留学生，来自不同的国家。在班里，比起别的同学来，我的汉

5 语还不错。上课的时候老师常常表扬我，还对我说，下课的时候应该多跟中国人说话。每次听到老师的表扬，我心里都很高兴，也有点儿骄傲。我真的觉得自己的汉语很不

10 错了，就想去找中国人说话，试试自己的汉语水平。

有一天，我想到商店去买东西，也想跟中国人说说话。我一走进商店就对售货员说："你们

15 好！"一位售货员惊讶地说了一句："哟，你的汉语说得不错。"我说："不，不，我的汉语不好，马马虎虎。"虽然这样说，但是我的心里还是特别高兴。另一位售货员

来自 lái zì	to come from
表扬 biǎoyáng	to praise
骄傲 jiāo'ào	proud
试 shì	to have a try
售货员 shòuhuòyuán	shop assistant
惊讶 jīngyà	surprised
哟 yō	hey
马马虎虎 mǎmahūhū	just all right
另 lìng	another

Wǒ kāishǐ xué Hànyǔ shì zài Běijīng Yǔyán Xuéyuàn, xiànzài jiào Běijīng Yǔyán Dàxué. Wǒmen bān yǒu shíwǔ ge liúxuéshēng, lái zì bù tóng de guójiā. Zài bān li, bǐqǐ bié de tóngxué lái, wǒ de Hànyǔ hái búcuò. Shàngkè de shíhou lǎoshī chángcháng biǎoyáng wǒ, hái duì wǒshuō, xià- kè de shíhou yīnggāi duō gēn Zhōngguórén shuō- huà. Měi cì tīngdào lǎoshī de biǎoyáng, wǒ xīnli dōu hěn gāoxìng, yě yǒudiǎnr jiāo'ào. Wǒ zhēn de juéde zìjǐ de Hànyǔ hěn búcuò le, jiù xiǎng qù zhǎo Zhōngguórén shuōhuà, shìshi zìjǐ de Hànyǔ shuǐpíng.

Yǒu yì tiān, wǒ xiǎng dào shāngdiàn qù mǎi dōngxi, yě xiǎng gēn Zhōngguórén shuōshuo huà. Wǒ yì zǒujìn shāngdiàn jiù duì shòuhuòyuán shuō: "Nǐmen hǎo!" Yí wèi shòuhuòyuán jīngyà de shuōle yí jù: "Yō, nǐ de Hànyǔ shuō de búcuò." Wǒ shuō: "Bù, bù, wǒ de Hànyǔ bù hǎo, mǎmahūhū." Suīrán zhèyàng shuō, dànshì wǒ de xīnli háishi tèbié gāoxìng. Lìng yí wèi shòuhuòyuán

『纸火车笔』的笑话

20 问我："你要什么？""我买'纸火车笔'。"我回答说。"什么？什么叫'纸火车笔'？你是不是想到火车站去呀？"

火车站
huǒchēzhàn
railway station

听到她的话，周围的人也走
25 了过来。有一个年轻人问我："你要什么？"我看到他们没听懂我的话，不敢再说了，忙问他："你会不会英语呀？"他点点头。我用英语说了我的意思，他笑着给我解释，原

解释 jiěshì
to explain

来我把"或者"说成了"火车"，
30 怪不得售货员听不懂呢。还有，"或者"这个词用得也不对，应该用"和"。哎呀，只有六个字的一句话，又是发音的错误，又是语法的
35 错误，我还有什么可骄傲的呢？我忙对售货员说"对不起，对不起"，又向那个年轻人说"谢谢，谢谢"，然后很快地跑出了商店。

怪不得 guàibude
no wonder

哎呀 āiyā lumme
发音 fāyīn
pronunciation

错误 cuòwù
mistake

wèn wǒ: "Nǐ yào shénme?" "Wǒ mǎi 'zhǐ huǒchē bǐ'." Wǒ huídá shuō. "Shénme? Shénme jiào 'zhǐ huǒchē bǐ'? Nǐ shì bu shì xiǎng dào huǒchēzhàn qù ya?"

Tīngdào tā de huà, zhōuwéi de rén yě zǒule guolai. Yǒu yí ge niánqīngrén wèn wǒ: "Nǐ yào shénme?" Wǒ kàndào tāmen méi tīngdǒng wǒ de huà, bù gǎn zài shuō le, máng wèn tā: "Nǐ huì bu huì Yīngyǔ ya?" Tā diǎndian tóu. Wǒ yòng Yīngyǔ shuōle wǒ de yìsi, tā xiàozhe gěi wǒ jiěshì, yuánlái wǒ bǎ "huòzhě" shuōchéngle "huǒchē", guàibude shòuhuòyuán tīng bu dǒng ne. Hái yǒu, "huòzhě" zhège cí yòng de yě bú duì, yīnggāi yòng "hé". Āiyā, zhǐ yǒu liù ge zì de yí jù huà, yòu shì fāyīn de cuòwù, yòu shì yǔfǎ de cuòwù, wǒ hái yǒu shénme kě jiāo'ào de ne? Wǒ máng duì shòuhuòyuán shuō "duìbuqǐ, duìbuqǐ", yòu xiàng nàge niánqīngrén shuō "xièxie, xièxie", ránhòu hěn kuài de pǎochūle shāngdiàn.

"纸火车笔" 的笑话

这是我刚学汉语时的事情。从
40 那以后我更加努力地学习，再也不
敢骄傲了。

原名：《纸、火车、笔》
选自：《留学岁月》，北京语言大学出版社，2000年

我在中国的那些日子

我来写两句

Zhè shì wǒ gāng xué Hànyǔ shí de shìqing.
Cóng nà yǐhòu wǒ gèngjiā nǔlì de xuéxí, zài yě bù
gǎn jiāo'ào le.

Wǒ Lái Xiě Liǎng Jù

"纸火车笔"的笑话

你看懂了吗？

(1) 售货员为什么没听懂"我"的话？
Shòuhuòyuán wèi shénme méi tīngdǒng "wǒ" de huà?

(2) "我"说的话里有几个错误？是什么错误？
"Wǒ" shuō de huà li yǒu jǐ ge cuòwù? Shì shénme cuòwù?

我来写两句

_____

_____

_____

_____

_____

_____

_____

_____

_____

"Kòuròu"   Háishi   "Kělè"

braised pork

cola

[Hánguó] Lǐ Àilián
[韩国] 李爱莲

Republic of Korea

Yuèdú Tíshì:
阅读提示:

fāyīn, pronunciation

　　"扣肉"和"可乐"这两个词的发音一样吗？如果去饭馆吃饭想要一瓶可乐，可是发音错了，会出现什么样的事情呢？

　　"Kòuròu" hé "kělè" zhè liǎng ge cí de fāyīn yíyàng ma? Rúguǒ qù fànguǎnr chī fàn xiǎng yào yì píng kělè, kěshì fāyīn cuò le, huì chūxiàn shénme yàng de shìqing ne?

"小姐，要一个可乐。"听到
这个声音，我想起了刚学汉语时的
一件事，忍不住笑了起来。我去年
来中国的时候，发音不太好，闹了
5 个大笑话。

有一天，我和丈夫去饭店吃
饭，我想喝可乐。我丈夫的汉语说
得很好，我让他给我要一瓶可乐，
可是丈夫让我自己跟服务员要。他
10 教我说了一遍，我又练习了几遍。
然后，我很紧张地说："小姐，要
一个'可乐'。"她答应了。说完
后，我感到很高兴。等了一会儿，
小姐端来了一盘肉。我们感到很
15 奇怪。小姐说："扣肉来了。""不，
不，我要的是可乐。"小姐说：
"对啊！这就是扣肉。"这时候，我
丈夫哈哈大笑起来，一边笑，一边
对小姐说："她要的是'可乐'，不

忍不住 rěn bu zhù
can't help (doing sth.)

闹笑话
nào xiàohua
to make a fool of
oneself

丈夫 zhàngfu
husband

紧张 jǐnzhāng
nervous

答应 dāying
to agree

感到 gǎndào
to feel

端 duān to carry

盘 pán dish

奇怪 qíguài
strange, surprised

我在中国的那些日子

62

"Xiǎojie, yào yí ge kělè." Tīngdào zhège shēngyīn, wǒ xiǎngqǐle gāng xué Hànyǔ shí de yí jiàn shì, rěn bu zhù xiàole qilai. Wǒ qùnián lái Zhōngguó de shíhou, fāyīn bú tài hǎo, nàole ge dà xiàohua.

Yǒu yì tiān, wǒ hé zhàngfu qù fàndiàn chī fàn, wǒ xiǎng hē kělè. Wǒ zhàngfu de Hànyǔ shuō de hěn hǎo, wǒ ràng tā gěi wǒ yào yì píng kělè, kěshì zhàngfu ràng wǒ zìjǐ gēn fúwùyuán yào. Tā jiāo wǒ shuōle yí biàn, wǒ yòu liànxíle jǐ biàn. Ránhòu, wǒ hěn jǐnzhāng de shuō: "Xiǎojie, yào yí ge 'kělè'." Tā dāying le. Shuōwán hòu, wǒ gǎndào hěn gāoxìng. Děngle yíhuìr, xiǎojie duānláile yì pán ròu. Wǒmen gǎndào hěn qíguài. Xiǎojie shuō: "Kòuròu lái le." "Bù, bù, wǒ yào de shì kělè." Xiǎojie shuō: "Duì a! Zhè jiù shì kòuròu." Zhè shíhou, wǒ zhàngfu hāhā dà xiào qilai, yìbiān xiào, yìbiān duì xiǎojie shuō: "Tā yào

「扣肉」还是「可乐」

20 是‘扣肉’。这不是你的错，她是
刚学会的，发音不准。”小姐也笑
了。这时候的我，真想找个地缝钻
进去，太不好意思了。没办法，我
们只好吃了那盘扣肉。我觉得味道
25 还不错。

　　这样的事是刚学外语的人常
常遇到的。说汉语，如果发音不
准、声调不对，它的意思会完全不
一样，就可能出现“可乐”和“扣
30 肉”的笑话。

准 zhǔn correct

地缝 dìfèng crack

钻 zuān to get into

不好意思
bù hǎoyìsi
to feel embarrassed

味道 wèidao taste

遇到 yùdào
to come across

笑话 xiàohua joke

选自：《留学岁月》，北京语言大学出版社，2000年

我来写两句

我在中国的那些日子

de shì 'kělè', bú shì 'kòuròu'. Zhè bú shì nǐ de cuò, tā shì gāng xuéhuì de, fāyīn bù zhǔn." Xiǎojie yě xiào le. Zhè shíhou de wǒ, zhēn xiǎng zhǎo ge dìfèng zuān jinqu, tài bù hǎoyìsi le. Méi bànfǎ, wǒmen zhǐhǎo chīle nà pán kòuròu. Wǒ juéde wèidao hái búcuò.

Zhèyàng de shì shì gāng xué wàiyǔ de rén chángcháng yùdào de. Shuō Hànyǔ, rúguǒ fāyīn bù zhǔn、shēngdiào bú duì, tā de yìsi huì wánquán bù yíyàng, jiù kěnéng chūxiàn "kělè" hé "kòuròu" de xiàohua.

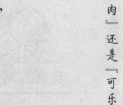

「扣肉」还是「可乐」

Wǒ Lái Xiě Liǎng Jù

(1) 在饭店吃饭的时候，"我"想要什么?
　　Zài fàndiàn chī fàn de shíhou, "wǒ" xiǎng yào shénme?

(2) 小姐为什么给"我"拿来一盘扣肉?
　　Xiǎojie wèi shénme gěi "wǒ" nálái yì pán kòuròu?

我在中国的那些日子

我来写两句

_____

_____

_____

_____

_____

_____

_____

_____

time: 6.5 mins
words: 645

10

Yǒuqù de Zhōngguó Gē
有趣的中国歌

interesting

[Měiguó] Xīn Lúndé
[美国] 辛纶德

Yuèdú Tíshì:
阅读提示：

xìngqù, interest

中国有很多好听的歌，这位留学生对中国歌很有兴趣，他学会了很多中国歌。但是他也有一个遗憾，是什么呢？你看了他写的文章就知道了。

Zhōngguó yǒu hěn duō hǎotīng de gē, zhè wèi liúxuéshēng duì Zhōngguó gē hěn yǒu xìngqù, tā xuéhuìle hěn duō Zhōngguó gē. Dànshì tā yě yǒu yí ge yíhàn, shì shénme ne? Nǐ kànle tā xiě de wénzhāng jiù zhīdao le.

67

我很喜欢听音乐。不管用什么语言唱的歌，如果我觉得好听，就一定要听一听。不过，我最喜欢听的是中文歌。虽然我在美国长大，

5 可是我从小就听中文歌。以前听的歌都是香港人唱的，他们都用粤语唱。可是我现在听的歌是用普通话唱的。

我喜欢很多中国的歌手，最

10 喜欢的是王菲。我觉得她的声音是最好听的。我常常在卡拉OK唱她的歌。最近我唱一些中文歌给中国朋友听，他们都以为我汉语说得很流利。他们问我："你为什

15 么来中国学习汉语？你已经说得非常好了。"可是，唱歌的时候不需要注意声调。还有，我的朋友不知道我只是模仿歌词的发音，却不懂歌的意思。

不管 bùguǎn
no matter (what, how)

香港 Xiānggǎng
Hong Kong

粤语 Yuèyǔ
Cantonese

普通话 pǔtōnghuà
Mandarin Chinese

歌手 gēshǒu singer

王菲 Wáng Fēi
name of a person

卡拉OK kǎlā-OK
karaoke, KTV

流利 liúlì fluent

模仿 mófǎng
to imitate

歌词 gēcí
words of a song

发音 fāyīn
pronunciation

我在中国的那些日子

68

Wǒ hěn xǐhuan tīng yīnyuè. Bùguǎn yòng shénme yǔyán chàng de gē, rúguǒ wǒ juéde hǎotīng, jiù yídìng yào tīng yi tīng. Búguò, wǒ zuì xǐhuan tīng de shì Zhōngwén gē. Suīrán wǒ zài Měiguó zhǎngdà, kěshì wǒ cóng xiǎo jiù tīng Zhōngwén gē. Yǐqián tīng de gē dōu shì Xiānggǎngrén chàng de, tāmen dōu yòng Yuèyǔ chàng. Kěshì wǒ xiànzài tīng de gē shì yòng pǔtōnghuà chàng de.

Wǒ xǐhuan hěn duō Zhōngguó de gēshǒu, zuì xǐhuan de shì Wáng Fēi. Wǒ juéde tā de shēngyīn shì zuì hǎotīng de. Wǒ chángcháng zài kǎlā-OK chàng tā de gē. Zuìjìn wǒ chàng yìxiē Zhōngwén gē gěi Zhōngguó péngyou tīng, tāmen dōu yǐwéi wǒ Hànyǔ shuō de hěn liúlì. Tāmen wèn wǒ: "Nǐ wèi shénme lái Zhōngguó xuéxí Hànyǔ? Nǐ yǐjīng shuō de fēicháng hǎo le." Kěshì, chànggē de shíhou bù xūyào zhùyì shēngdiào. Háiyǒu, wǒ de péngyou bù zhīdào wǒ zhǐ shì mófǎng gēcí de fāyīn, què bù dǒng gē de yìsi.

20　　不过有的歌词里边的很多词我已经学过了，我能明白它的意思。比如，有一首歌的歌词是："我相信你对我的爱是真，但对她也不假。什么样的你爱了两个人？你

25　是不是觉得很美？"因为这首歌的歌词很容易，所以我能明白它的意思。这首歌唱的是：她的男朋友爱她，同时也爱别的女人。我想这个男人一定是一个坏人！

30　　我觉得王菲的歌跟诗一样，所以我很难理解歌的意思。比如她唱："有时候，有时候，我会相信一切有尽头。相聚离开都有时候，没有什么会永垂不朽。"这是什么

35　意思？我真的不明白。我请一个中国朋友给我解释这首歌的意思，因为我要知道为什么这首歌的名字叫"红豆"。我觉得这是一个很

明白 míngbai
to understand

比如 bǐrú
for example

首 shǒu
a measure word for songs or poems

假 jiǎ false

坏人 huàirén
bad person

诗 shī
poetry, poem

理解 lǐjiě
to understand

尽头 jìntóu end

永垂不朽
yǒng chuí bù xiǔ
to be immortal

解释 jiěshì
to explain

红豆 hóngdòu
red bean shrub

Búguò yǒude gēcí lǐbian de hěn duō cí wǒ yǐjīng xuéguo le, wǒ néng míngbai tā de yìsi. Bǐrú, yǒu yì shǒu gē de gēcí shì: "Wǒ xiāngxìn nǐ duì wǒ de ài shì zhēn, dàn duì tā yě bù jiǎ. Shénme yàng de nǐ àile liǎng ge rén? Nǐ shì bu shì juéde hěn měi?" Yīnwèi zhè shǒu gē de gēcí hěn róngyì, suǒyǐ wǒ néng míngbai tā de yìsi. Zhè shǒu gē chàng de shì: Tā de nánpéngyou ài tā, tóngshí yě ài bié de nǚrén. Wǒ xiǎng zhège nánrén yídìng shì yí ge huàirén!

Wǒ juéde Wáng Fēi de gē gēn shī yíyàng, suǒyǐ wǒ hěn nán lǐjiě gē de yìsi. Bǐrú tā chàng: "Yǒushíhou, yǒushíhou, wǒ huì xiāngxìn yíqiè yǒu jìntóu. xiāngjù líkāi dōu yǒu shíhou, méiyou shénme huì yǒng chuí bù xiǔ." Zhè shì shénme yìsi? Wǒ zhēn de bù míngbai. Wǒ qǐng yí ge Zhōngguó péngyou gěi wǒ jiěshì zhè shǒu gē de yìsi, yīnwèi wǒ yào zhīdao wèi shénme zhè shǒu gē de míngzi jiào "hóngdòu". Wǒ juéde zhè

有趣的中国歌

奇怪的名字，可能是因为中国人很
40 喜欢吃红豆沙，所以这首歌叫"红
豆"。可是这位朋友也不知道怎么
给我解释。我觉得这很遗憾，因为
中文歌很好听，要是我能明白这些
歌的意思该多好！我希望汉语学习
45 结束的时候，我能明白"红豆"的
意思。

奇怪 qíguài
strange

红豆沙
hóngdòushā
red bean paste

遗憾 yíhàn regretful

结束 jiéshù
to end, to finish

原名：《我对中国歌很有兴趣》
选自：北京语言大学汉语速成学院留学生作文选三《留学在中国》

我来写两句

shì yí ge hěn qíguài de míngzi, kěnéng shì yīnwèi
Zhōngguórén hěn xǐhuan chī hóngdòushā, suǒyǐ
zhè shǒu gē jiào "hóngdòu". Kěshì zhè wèi péngyou
yě bù zhīdào zěnme gěi wǒ jiěshì. Wǒ juéde zhè
hěn yíhàn, yīnwèi Zhōngwén gē hěn hǎotīng,
yàoshi wǒ néng míngbai zhèxiē gē de yìsi gāi duō
hǎo! Wǒ xīwàng Hànyǔ xuéxí jiéshù de shíhou, wǒ
néng míngbai "hóngdòu" de yìsi.

有趣的中国歌

Wǒ Lái Xiě Liǎng Jù

(1) "我"最喜欢谁唱的歌？为什么？
"Wǒ" zuì xǐhuan shéi chàng de gē? Wèi shénme?

(2) 什么事让"我"觉得很遗憾？
Shénme shì ràng "wǒ" juéde hěn yíhàn?

(3) "我"的希望是什么？
"Wǒ" de xīwàng shì shénme?

我在中国的那些日子

我来写两句

_____

_____

_____

_____

_____

_____

_____

_____

_____

Zhōngguó Cài Yòu Hǎochī Yòu Yǒuqù

中国菜又好吃又有趣

[Yīngguó] Āidé

[英国] 埃德

U. K.

interesting

Yuèdú Tíshì:

阅读提示：

很多人都知道中国菜好吃，但是为什么说中国菜有趣呢？这你就不知道了吧？这篇文章就告诉你一些中国菜的有趣的故事。

Hěn duō rén dōu zhīdao Zhōngguó cài hǎochī, dànshì wèi shénme shuō Zhōngguó cài yǒuqù ne? Zhè nǐ jiù bù zhīdào le ba? Zhè piān wénzhāng jiù gàosu nǐ yìxiē Zhōngguó cài de yǒuqù de gùshi.

我刚来中国的时候不习惯吃中国菜。我觉得很多菜里油太多，还有一种奇怪的味道。一天，我跟一个中国人聊天儿，她给我介绍了
5 中国菜。她说，在中国文化中，菜非常重要。所以，如果我想了解中国的文化，一定要吃中国菜。从那天起，为了吃中国菜，我们去了很多的中国饭馆。在饭馆里，我一边
10 吃，一边听朋友们介绍。他们说："在中国，不同地方的人喜欢吃的菜也不一样。比如，四川人爱吃辣的菜，广东人什么都敢吃。"我听到很多北京人说，广东人是：天上
15 飞的，只有飞机不吃；地上四条腿的，只有桌子、椅子不吃。我觉得这句话太有意思了。

在北京，我去过全聚德，因为那个饭店的烤鸭很有名。朋友告

油 yóu oil

奇怪 qíguài strange

味道 wèidao taste

聊天儿 liáo tiānr to chat

比如 bǐrú for example

四川 Sìchuān name of a province

辣 là hot

广东 Guǎngdōng name of a province

敢 gǎn dare

全聚德 Quánjùdé name of a restaurant

烤鸭 kǎoyā roast duck

我在中国的那些日子

Wǒ gāng lái Zhōngguó de shíhou bù xíguàn chī Zhōngguó cài. Wǒ juéde hěn duō cài li yóu tài duō, hái yǒu yì zhǒng qíguài de wèidao. Yì tiān, wǒ gēn yí ge Zhōngguórén liáotiānr, tā gěi wǒ jièshàole Zhōngguó cài. Tā shuō, zài Zhōngguó wénhuà zhōng, cài fēicháng zhòngyào. Suǒyǐ, rúguǒ wǒ xiǎng liǎojiě Zhōngguó de wénhuà, yídìng yào chī Zhōngguó cài. Cóng nà tiān qǐ, wèile chī Zhōngguó cài, wǒmen qùle hěn duō de Zhōngguó fànguǎnr. Zài fànguǎnr li, wǒ yìbiān chī, yìbiān tīng péngyoumen jièshào. Tāmen shuō: "Zài Zhōngguó, bù tóng dìfang de rén xǐhuan chī de cài yě bù yíyàng. Bǐrú, Sìchuānrén ài chī là de cài, Guǎngdōngrén shénme dōu gǎn chī." Wǒ tīngdào hěn duō Běijīngrén shuō, Guǎngdōngrén shì: Tiān shang fēi de, zhǐ yǒu fēijī bù chī; dì shang sì tiáo tuǐ de, zhǐ yǒu zhuōzi、yǐzi bù chī. Wǒ juéde zhè jù huà tài yǒu yìsi le.

Zài Běijīng, wǒ qùguo Quánjùdé, yīnwèi nàge fàndiàn de kǎoyā hěn yǒumíng. Péngyou gàosu

中国菜又好吃又有趣

20 诉我，传统的做法是，厨师把烤鸭
切成一百二十八片。我最喜欢吃的
是火锅，因为它不但好吃，而且有
一个关于火锅的故事也很有意思。
这个故事说的是，从前，有一个很

25 穷的人，他种了一些辣椒想去卖，
可是没有人买他的辣椒。有一天，
他非常饿，于是把所有的辣椒放在
一个大锅里，又放进一些菜，然后
加一些水煮起来。煮了一个小时以

30 后，他吃了一口，发现这个菜特
别好吃，就请朋友们一起吃，大家
都说好吃。后来，很多人都这样去
做，就有了今天的火锅。

朋友还告诉我，中国有很多传

35 统的节日。在这些节日里，他们吃
的东西也很有特色。比如，中秋节
吃月饼，端午节吃粽子，春节家家
都要吃饺子。有一次端午节，一位

传统 chuántǒng	tradition
做法 zuòfa	way of doing things
厨师 chúshī	cook
切 qiē	to cut
火锅 huǒguō	hotpot
关于 guānyú	about
穷 qióng	poor
辣椒 làjiāo	chili
于是 yúshì	so
锅 guō	pot
煮 zhǔ	to boil

特色 tèsè	characteristic
中秋节 Zhōngqiū Jié	Mid-Autumn Festival
月饼 yuèbing	moon cake
端午节 Duānwǔ Jié	Dragon Boat Festival
粽子 zòngzi	a kind of food
春节 Chūn Jié	Spring Festival

wǒ, chuántǒng de zuòfa shì, chúshī bǎ kǎoyā qiēchéng yìbǎi èrshíbā piàn. Wǒ zuì xǐhuan chī de shì huǒguō, yīnwèi tā búdàn hǎochī, érqiě yǒu yí ge guānyú huǒguō de gùshi yě hěn yǒu yìsi. Zhège gùshi shuō de shì, cóngqián, yǒu yí ge hěn qióng de rén, tā zhòngle yìxiē làjiāo xiǎng qù mài, kěshì méiyou rén mǎi tā de làjiāo. Yǒu yì tiān, tā fēicháng è, yúshì bǎ suǒyǒu de làjiāo fàng zài yí ge dà guō li, yòu fàngjìn yìxiē cài, ránhòu jiā yìxiē shuǐ zhǔ qilai. Zhǔle yí ge xiǎoshí yǐhòu, tā chīle yì kǒu, fāxiàn zhège cài tèbié hǎochī, jiù qǐng péngyoumen yìqǐ chī, dàjiā dōu shuō hǎochī. Hòulái, hěn duō rén dōu zhèyàng qù zuò, jiù yǒule jīntiān de huǒguō.

Péngyou hái gàosu wǒ, Zhōngguó yǒu hěn duō chuántǒng de jiérì. Zài zhèxiē jiérì li, tāmen chī de dōngxi yě hěn yǒu tèsè. Bǐrú, Zhōngqiū Jié chī yuèbing, Duānwǔ Jié chī zòngzi, Chūn Jié jiājiā dōu yào chī jiǎozi. Yǒu yí cì Duānwǔ

中国菜又好吃又有趣

朋友请我到她家玩儿。一进门，她

40 妈妈就拿出一大盘粽子。朋友告诉
我，端午节吃粽子是中国特有的民
俗，这里面也有一个小故事：中国
历史上，有一个人叫屈原，他的国
家灭亡后，他很伤心，于是走到河

45 边，跳进了河里。很多喜欢屈原的
人怕他被鱼吃掉，就做了很多粽子
扔进河里。他们认为，鱼有粽子
吃，就不会吃屈原了。

听了这个故事以后，我发现中

50 国的历史还真有意思。以前我不太
喜欢中国菜，可是现在我最喜欢吃
的就是中国菜。中国菜不但好吃，
而且你在吃的过程中还可以学到中
国的文化知识。

盘 pán dish

特有 tèyǒu special

民俗 mínsú
folk custom, folkways

屈原 Qū Yuán
name of a person

灭亡 mièwáng
to be destroyed

伤心 shāngxīn sad

扔 rēng
to throw

过程 guòchéng
course, process

原名：《中国菜：好吃又有趣》
选自：北京语言大学汉语速成学院留学生作文选四《留学在中国》

Jié, yí wèi péngyou qǐng wǒ dào tā jiā wánr. Yí jìn mén, tā māma jiù náchū yí dà pán zòngzi. Péngyou gàosu wǒ, Duānwǔ Jié chī zòngzi shì Zhōngguó tèyǒu de mínsú, zhè lǐmian yě yǒu yí ge xiǎo gùshi: Zhōngguó lìshǐ shang, yǒu yí ge rén jiào Qū Yuán, tā de guójiā mièwáng hòu, tā hěn shāngxīn, yúshì zǒudào hé biān, tiàojìnle hé li. Hěn duō xǐhuan Qū Yuán de rén pà tā bèi yú chīdiào, jiù zuòle hěn duō zòngzi rēngjìn hé li. Tāmen rènwéi, yú yǒu zòngzi chī, jiù bú huì chī Qū Yuán le.

Tīngle zhège gùshi yǐhòu, wǒ fāxiàn Zhōngguó de lìshǐ hái zhēn yǒu yìsi. Yǐqián wǒ bú tài xǐhuan Zhōngguó cài, kěshì xiànzài wǒ zuì xǐhuan chī de jiù shì Zhōngguó cài. Zhōngguó cài búdàn hǎochī, érqiě nǐ zài chī de guòchéng zhōng hái kěyǐ xuédào Zhōngguó de wénhuà zhīshi.

中国菜又好吃又有趣

(1) 朋友为什么一定让“我”去吃中国菜？
    Péngyou wèi shénme yídìng ràng "wǒ" qù chī Zhōngguó cài?

(2) “我”为什么最喜欢吃火锅？
    "Wǒ" wèi shénme zuì xǐhuan chī huǒguō?

(3) 人们为什么把粽子扔到河里？
    Rénmen wèi shénme bǎ zòngzi rēngdào hé li?

(4) “我”现在为什么喜欢吃中国菜了？
    "Wǒ" xiànzài wèi shénme xǐhuan chī Zhōngguó cài le?

我在中国的那些日子

我来写两句

_____

_____

_____

_____

_____

_____

Zuò   Gōnggòng   Qìchē   de   Jīnglì
坐公共汽车的经历

experience

[Níbó'ěr]   Dìlìpǔ
[尼泊尔] 蒂利浦

Nepal

Yuèdú Tíshì:
阅读提示:

你一定坐过北京的公共汽车吧？如果你常坐公共汽车的话，会发现
一些有意思的事。请你看看这位留学生在公共汽车上遇到了什么吧。

yùdào, to come across

　　Nǐ yídìng zuòguo Běijīng de gōnggòng qìchē ba? Rúguǒ nǐ cháng
zuò gōnggòng qìchē de huà, huì fāxiàn yìxiē yǒu yìsi de shì. Qǐng
nǐ kànkan zhè wèi liúxuéshēng zài gōnggòng qìchē shang yùdàole
shénme ba.

北京的公共汽车总是挤得上不去，下不来。今天是星期天，所以就更挤了。我在车站等了20分钟才来了一辆，我好不容易才挤上去。

车里的售票员不停地喊着："没票的请买票……""买票！"我给了她五块钱。"到哪儿？""语言大学。"我回答说。"几个？"我听了很惊讶，不是应该说"一张票"吗？可是她为什么说"几个"呢？"买一个！"我说了一声，她就给了我一"张"票。可是我还不明白她为什么说"个"，是不是说"个"也可以？我想：不对，上次考试，因为我写错了这个量词，老师就给我减了3分。那她怎么不说"张"而说"个"呢？我回答不了自己的问题。

挤 jǐ
crowed, to crowd

好不容易
hǎobù róngyì
very difficult

售票员
shòupiàoyuán
conductor

票 piào ticket

惊讶 jīngyà
surprised

明白 míngbai
to understand

量词 liàngcí
measure word

减 jiǎn to deduct

Běijīng de gōnggòng qìchē zǒng shì jǐ de shàng bu qù, xià bu lái. Jīntiān shì xīngqītiān, suǒyǐ jiù gèng jǐ le. Wǒ zài chēzhàn děngle èrshí fēnzhōng cái láile yí liàng, wǒ hǎobù róngyì cái jǐ shangqu.

Chē li de shòupiàoyuán bù tíng de hǎnzhe: "Méi piào de qǐng mǎi piào……" "Mǎi piào!" Wǒ gěile tā wǔ kuài qián. "Dào nǎr?" "Yǔyán Dàxué." Wǒ huídá shuō. "Jǐ ge?" Wǒ tīngle hěn jīngyà, bú shì yīnggāi shuō "yì zhāng piào" ma? Kěshì tā wèi shénme shuō "jǐ ge" ne? "Mǎi yí ge!" Wǒ shuōle yì shēng, tā jiù gěile wǒ yì "zhāng" piào. Kěshì wǒ hái bù míngbai tā wèi shénme shuō "ge", shì bu shì shuō "ge" yě kěyǐ? Wǒ xiǎng: Bú duì, shàng cì kǎoshì, yīnwèi wǒ xiěcuòle zhège liàngcí, lǎoshī jiù gěi wǒ jiǎnle sān fēn. Nà tā zěnme bù shuō "zhāng" ér shuō "ge" ne? Wǒ huídá bu liǎo zìjǐ de wèntí.

坐公共汽车的经历

20　　到了下一站，车里的一些人下
了车。我的前边空了一个座位，座
位的旁边有两位老人。一位老人对
另一位老人说："您坐。""不，还
是您坐吧。"就在她们说"您坐"、
25 "您坐"的时候，一个年轻人上车
了，他手里还拿着冰淇淋呢。他一
上车看到了那个空座位，就高兴地
坐了下来，周围的人看见这事后都
大声笑了起来。那两位老人却不说
30 话，从包里拿出报纸看起来。那个
年轻人看见车里的人都看着他笑，
就很快地擦了擦自己的脸，又看了
看自己的衣服，他觉得一切都正
常，就放心地开始吃冰淇淋了。这
35 时人们的笑声更大了。他不明白人
们在笑什么，他的脸红极了。
　　车又慢慢儿地开了。我听见
后面有两个人在说话，好像是在说

空　kòng
to leave unoccupied

座位　zuòwèi　seat

另　lìng　another

冰淇淋　bīngqílín
ice cream

报纸　bàozhǐ
newspaper

正常　zhèngcháng
normal

放心　fàng xīn
to feel relieved

笑声　xiàoshēng
laughter

慢慢儿　mànmānr
slowly

Dàole xià yí zhàn, chē li de yìxiē rén xiàle chē. Wǒ de qiánbian kòngle yí ge zuòwèi, zuòwèi de pángbiān yǒu liǎng wèi lǎorén. Yí wèi lǎorén duì lìng yí wèi lǎorén shuō: "Nín zuò." "Bù, háishi nín zuò ba." Jiù zài tāmen shuō "nín zuò"、"nín zuò" de shíhou, yí ge niánqīngrén shàng chē le, tā shǒu li hái názhe bīngqílín ne. Tā yí shàng chē kàndàole nàge kòng zuòwèi, jiù gāoxìng de zuòle xialai, zhōuwéi de rén kànjiàn zhè shì hòu dōu dàshēng xiàole qilai. Nà liǎng wèi lǎorén què bù shuōhuà, cóng bāo li náchū bàozhǐ kàn qilai. Nàge niánqīngrén kànjiàn chē li de rén dōu kànzhe tā xiào, jiù hěn kuài de cāle cā zìjǐ de liǎn, yòu kànle kàn zìjǐ de yīfu, tā juéde yíqiè dōu zhèngcháng, jiù fàngxīn de kāishǐ chī bīngqílín le. Zhè shí rénmen de xiàoshēng gèng dà le. Tā bù míngbai rénmen zài xiào shénme, tā de liǎn hóngjǐ le.

Chē yòu mànmānr de kāi le. Wǒ tīngjiàn hòumian yǒu liǎng ge rén zài shuōhuà, hǎoxiàng

坐公共汽车的经历

我。开始我没有回头，只是注意
40 听他们在说什么。一个人说："他
是巴基斯坦人吧？"第二个人说：
"不，他很像是伊朗人。"我听了
他们的话，觉得很可笑。我很后
悔，以前没有好好儿地看看自己的
45 脸。我想，我是不是真的像巴基
斯坦人或者伊朗人？不对，我觉
得我一点儿也不像那两个国家的
人。那，那他们怎么看不出来我是
尼泊尔人呢？这时我也糊涂了。是
50 他们猜错了，还是我真的像巴基斯
坦人？"你看他的头发多像巴基斯
坦人。"他们还在说。这时我忍不
住笑了起来，我说："我不是巴基
斯坦人，也不是伊朗人。我是尼泊
55 尔人，你们都说错了。"他们很惊
讶地看着我，可能是因为他们猜错
了，也可能是因为他们没想到我会

巴基斯坦
Bājīsītǎn Pakistan

伊朗 **Yīlǎng** Iran

可笑 **kěxiào**
ridiculous

后悔 **hòuhuǐ**
to regret

好好儿 **hǎohāor**
carefully

糊涂 **hútu** confused

猜 **cāi** to guess

头发 **tóufa** hair

忍不住 **rěn bu zhù**
can't help (doing sth.)

我在中国的那些日子

shì zài shuō wǒ. Kāishǐ wǒ méiyou huítóu, zhǐ shì zhùyì tīng tāmen zài shuō shénme. Yí ge rén shuō: "Tā shì Bājīsītǎnrén ba?" Dì èr ge rén shuō: "Bù, tā hěn xiàng shì Yīlǎngrén." Wǒ tīngle tāmen de huà, juéde hěn kěxiào. Wǒ hěn hòuhuǐ, yǐqián méiyou hǎohāor de kànkan zìjǐ de liǎn. Wǒ xiǎng, wǒ shì bu shì zhēn de xiàng Bājīsītǎnrén huòzhě Yīlǎngrén? Bú duì, wǒ juéde wǒ yìdiǎnr yě bú xiàng nà liǎng ge guójiā de rén. Nà, nà tāmen zěnme kàn bu chūlái wǒ shì Níbó'ěrrén ne? Zhèshí wǒ yě hútu le. Shì tāmen cāicuò le, háishi wǒ zhēn de xiàng Bājīsītǎnrén? "Nǐ kàn tā de tóufa duō xiàng Bājīsītǎnrén." Tāmen hái zài shuō. Zhèshí wǒ rěn bu zhù xiàole qilai, wǒ shuō: "Wǒ bú shì Bājīsītǎnrén, yě bú shì Yīlǎngrén. Wǒ shì Níbó'ěrrén, nǐmen dōu shuōcuò le." Tāmen hěn jīngyà de kànzhe wǒ, kěnéng shì yīnwèi tāmen cāicuò le, yě kěnéng shì yīnwèi tāmen méi xiǎngdào wǒ huì shuō Hànyǔ. Tāmen de liǎn

坐公共汽车的经历

说汉语。他们的脸有点儿红了。一个说："你中国话说得真好。"另一个也马上说："真没想到，你的汉语这么好。"听了他们的话，我很高兴，很想跟他们聊一会儿。可是车很快就到站了，那两个中国人下车了。

60

聊　liáo　to chat

65 　　到了语言大学，我费了很大的劲才下了车。几个人上了车，门又关上了，里边传来了售票员的声音："没票的请买票"。车又慢慢儿地开了。

费劲　fèi jìn
to exert great effort

传　chuán　to spread

70 　　我终于到学校了。今天的车那么挤，可是我一点儿也不累。我觉得在北京公共汽车上很有乐趣，也很有意思。

终于　zhōngyú
finally

原名：《车内车外》

yǒudiǎnr hóng le. Yí ge shuō: "Nǐ Zhōngguóhuà shuō de zhēn hǎo." Lìng yí ge yě mǎshàng shuō: "Zhēn méi xiǎngdào, nǐ de Hànyǔ zhème hǎo." Tīngle tāmen de huà, wǒ hěn gāoxìng, hěn xiǎng gēn tāmen liáo yíhuìr. Kěshì chē hěn kuài jiù dào zhàn le, nà liǎng ge Zhōngguórén xià chē le.

Dàole Yǔyán Dàxué, wǒ fèile hěn dà de jìn cái xiàle chē. Jǐ ge rén shàngle chē, mén yòu guān-shang le, cóng lǐbian chuánláile shòupiàoyuán de shēngyīn: "Méi piào de qǐng mǎi piào". Chē yòu mànmānr de kāi le.

Wǒ zhōngyú dào xuéxiào le. Jīntiān de chē nàme jǐ, kěshì wǒ yìdiǎnr yě bú lèi. Wǒ juéde zài Běijīng gōnggòng qìchē shang hěn yǒu lèqù, yě hěn yǒu yìsi.

坐公共汽车的经历

(1) "我"认为"票"的量词应该是什么？
"Wǒ" rènwéi "piào" de liàngcí yīnggāi shì shénme?

(2) 人们为什么笑那个年轻人？
Rénmen wèi shénme xiào nàge niánqīngrén?

(3) 两个中国人觉得"我"是哪国人？
Liǎng ge Zhōngguórén juéde "wǒ" shì nǎ guó rén?

我在中国的那些日子

我来写两句

_____

_____

_____

_____

_____

_____

_____

time: 8 mins
words: 775

Zài Huǒchē Shang Liǎojiě
在火车上了解

Zhōngguórén de Xísú
中国人的习俗 → custom

[Yìdàlì] Nǐkǎilái
[意大利] 妮凯莱

Italy

Yuèdú Tíshì:
阅读提示：

　　来中国学习或者工作就要了解一些中国人的习俗，怎么了解呢？意大利学生妮凯莱告诉你一个好方法，这就是买一张火车票，跟中国人一起坐火车，在火车上了解中国人的习俗。

　　Lái Zhōngguó xuéxí huòzhě gōngzuò jiù yào liǎojiě yìxiē Zhōngguórén de xísú, zěnme liǎojiě ne? Yìdàlì xuésheng Nǐkǎilái gàosu nǐ yí ge hǎo fāngfǎ, zhè jiù shì mǎi yì zhāng huǒchēpiào, gēn Zhōngguórén yìqǐ zuò huǒchē, zài huǒchē shang liǎojiě Zhōngguórén de xísú.

93

小时候，爸爸和妈妈告诉我："一个国家有一个国家的习俗，你应该懂得尊重别的国家的习俗。习俗是一种文化，要好好儿研究。"

5 我很同意他们的这种看法。

我这是第三次来中国，我在北京已经住了三个月了。要想知道意大利的习俗跟中国有哪些不同，要了解和研究中国的习俗，最好的

10 方法是坐火车去各地走一走，看一看。

"五一"的时候，我跟一个叫依莲的意大利朋友去上海和苏州旅游。因为"五一"去旅游的人很

15 多，所以火车票很难买。我们好不容易才买到两张慢车票。从北京到上海坐慢车差不多要 22 个小时。路上我虽然觉得很累，可是心里却很高兴。因为坐火车的时候我可以

尊重 zūnzhòng
to respect

好好儿 hǎohāor
carefully

看法 kànfa
point of view

各地 gè dì
in all parts of
(a country)

五一 Wǔ-Yī
May Day

依莲 Yīlián
name of a person

苏州 Sūzhōu
name of a city

旅游 lǚyóu to travel

票 piào ticket

好不容易
hǎobù róngyì
very difficult

差不多 chàbuduō
almost

Xiǎo shíhou, bàba hé māma gàosu wǒ: "Yí ge guójiā yǒu yí ge guójiā de xísú, nǐ yīnggāi dǒngde zūnzhòng bié de guójiā de xísú. Xísú shì yì zhǒng wénhuà, yào hǎohāor yánjiū." Wǒ hěn tóngyì tāmen de zhè zhǒng kànfa.

Wǒ zhè shì dì sān cì lái Zhōngguó, wǒ zài Běijīng yǐjīng zhùle sān ge yuè le. Yào xiǎng zhīdao Yìdàlì de xísú gēn Zhōngguó yǒu nǎxiē bù tóng, yào liǎojiě hé yánjiū Zhōngguó de xísú, zuì hǎo de fāngfǎ shì zuò huǒchē qù gè dì zǒu yi zǒu, kàn yi kàn.

"Wǔ-Yī" de shíhou, wǒ gēn yí ge jiào Yīlián de Yìdàlì péngyou qù Shànghǎi hé Sūzhōu lǚyóu. Yīnwèi "Wǔ-Yī" qù lǚyóu de rén hěn duō, suǒyǐ huǒchēpiào hěn nán mǎi. Wǒmen hǎobù róngyì cái mǎidào liǎng zhāng mànchēpiào. Cóng Běijīng dào Shànghǎi zuò mànchē chàbuduō yào èrshíèr ge xiǎoshí. Lù shang wǒ suīrán juéde hěn lèi, kěshì xīnli què hěn gāoxìng. Yīnwèi zuò huǒchē de shíhou

在火车上了解中国人的习俗

20 了解中国人的习俗。

中国人坐火车时喜欢聊天儿。车厢里的人对我们两个外国姑娘感到很新奇，他们总是看着我们，可能是因为他们平时很少见到外

25 国人。当他们知道我们能说一口流利的汉语时，都争着要跟我们聊天儿。

在我们的车厢里，坐着一家四口人：奶奶、父亲、母亲和女儿，

30 小女儿才三岁。他们都很友好，只是总问我们一些私事。我和依莲很为难，实在不好意思回答。因为我们欧洲人都不喜欢打听别人的私事。我知道，中国人在这方面跟我

35 们不一样。所以，他们问这些私事我并没有生气。我觉得不回答是不礼貌的。

在火车上我跟中国人聊天儿的

聊天儿 liáo tiānr
to chat

车厢 chēxiāng
carriage

感到 gǎndào to feel

新奇 xīnqí strange

平时 píngshí usually

流利 liúlì fluent

争 zhēng to strive

奶奶 nǎinai grandma

私事 sīshì
private affairs

为难 wéinán
to feel embarrassed

实在 shízài
indeed, really

不好意思
bù hǎoyìsi
to find it embarrassing
(to do sth.)

欧洲 Ōuzhōu Europe

打听 dǎting
to inquire about

生气 shēng qì
to get angry

礼貌 lǐmào courtesy

wǒ kěyǐ liǎojiě Zhōngguórén de xísú.

Zhōngguórén zuò huǒchē shí xǐhuan liáotiānr. Chēxiāng li de rén duì wǒmen liǎng ge wàiguó gūniang gǎndào hěn xīnqí, tāmen zǒng shì kànzhe wǒmen, kěnéng shì yīnwèi tāmen píngshí hěn shǎo jiàndào wàiguórén. Dāng tāmen zhīdao wǒmen néng shuō yì kǒu liúlì de Hànyǔ shí, dōu zhēngzhe yào gēn wǒmen liáotiānr.

Zài wǒmen de chēxiāng li, zuòzhe yì jiā sì kǒu rén: nǎinai、fùqin、mǔqin hé nǚ'ér, xiǎo nǚ'ér cái sān suì. Tāmen dōu hěn yǒuhǎo, zhǐ shì zǒng wèn wǒmen yìxiē sīshì. Wǒ hé Yīlián hěn wéinán, shízài bù hǎoyìsi huídá. Yīnwèi wǒmen Ōuzhōurén dōu bù xǐhuan dǎting biéren de sīshì. Wǒ zhīdao, Zhōngguórén zài zhè fāngmiàn gēn wǒmen bù yíyàng. Suǒyǐ, tāmen wèn zhèxiē sīshì wǒ bìng méiyou shēngqì. Wǒ juéde bù huídá shì bù lǐmào de.

Zài huǒchē shang wǒ gēn Zhōngguórén

在火车上了解中国人的习俗

时候，他们总夸奖我的汉语说得很
40 好，还问我是在哪儿学的，学了多
长时间了。开始，我听了他们的夸
奖心里很高兴。可是，我又一想，
中国人都说外国人的汉语非常好。
有的人说得不太好，中国人也会夸
45 奖他说得好。有些中国人英语说得
不错，却总说自己英语水平很低。
我知道，这不是真的，夸奖别人只
是他们的一种习惯。

我在中国的那些日子

中国人坐火车的时候不但爱聊
50 天儿，而且喜欢吃零食，除了吃饭
以外，还吃很多东西。他们最爱吃
的是瓜子，他们也让我尝尝他们带
的瓜子。我也觉得非常好吃。

夜里十点多了，我和依莲真的
55 很累了，可是中国人还不停地一边
聊一边吃。这就是中国人坐火车的
习惯。

夸奖 kuājiǎng
to praise

零食 língshí snack

瓜子 guāzǐ
melon seed

尝 cháng to taste

聊 liáo to chat

原名：《中国人的习俗》
选自：北京语言大学汉语速成学院留学生作文选二《留学在中国》

liáotiānr de shíhou, tāmen zǒng kuājiǎng wǒ de Hànyǔ shuō de hěn hǎo, hái wèn wǒ shì zài nǎr xué de, xuéle duō cháng shíjiān le. Kāishǐ, wǒ tīngle tāmen de kuājiǎng xīnli hěn gāoxìng. Kěshì, wǒ yòu yì xiǎng, Zhōngguórén dōu shuō wàiguórén de Hànyǔ fēicháng hǎo. Yǒude rén shuō de bú tài hǎo, Zhōngguórén yě huì kuājiǎng tā shuō de hǎo. Yǒuxiē Zhōngguórén Yīngyǔ shuō de búcuò, què zǒng shuō zìjǐ Yīngyǔ shuǐpíng hěn dī. Wǒ zhīdao, zhè bú shì zhēn de, kuājiǎng biéren zhǐ shì tāmen de yì zhǒng xíguàn.

Zhōngguórén zuò huǒchē de shíhou búdàn ài liáotiānr, érqiě xǐhuan chī língshí, chúle chī fàn yǐwài, hái chī hěn duō dōngxi. Tāmen zuì ài chī de shì guāzǐ, tāmen yě ràng wǒ chángchang tāmen dài de guāzǐ. Wǒ yě juéde fēicháng hǎochī.

Yèli shí diǎn duō le, wǒ hé Yīlián zhēn de hěn lèi le, kěshì Zhōngguórén hái bù tíng de yìbiān liáo yìbiān chī. Zhè jiù shì Zhōngguórén zuò huǒchē de xíguàn.

在火车上了解中国人的习俗

Nǐ Kàndǒngle ma?

你看懂了吗?

(1) 车厢里的人为什么总看着"我们"?
Chēxiāng li de rén wèi shénme zǒng kànzhe "wǒmen"?

(2) 中国人问"我们"什么问题让"我们"觉得很为
难,不好意思回答?
Zhōngguórén wèn "wǒmen" shénme wèntí ràng "wǒmen"
juéde hěn wéinán, bù hǎoyìsi huídá?

(3) 中国人为什么喜欢夸奖外国人汉语说得好?
Zhōngguórén wèi shénme xǐhuan kuājiǎng wàiguórén Hànyǔ
shuō de hǎo?

我在中国的那些日子

我来写两句

_____

_____

_____

_____

_____

_____

100

14

Shǒujī de Gùshi

手机的故事

mobile phone

[Yìndùníxīyà] Tāng Lìyǎ
[印度尼西亚] 汤丽雅

→ Indonesia

Yuèdú Tíshì:
阅读提示：

　　汤丽雅的手机丢了，但是很快又找到了。是怎么找到的呢？请你看看她写的手机的故事吧。

　　Tāng Lìyǎ de shǒujǐ diū le, dànshì hěn kuài yòu zhǎodào le. Shì zěnme zhǎodào de ne? Qǐng nǐ kànkan tā xiě de shǒujǐ de gùshi ba.

我觉得每个留学生的生活都一样，每天吃饭、学习、娱乐、休息。但是，就是在这么简单的生活中也会发生很多事情。来中国以后，有一件事让我一直忘不了。

上个学期我在北京语言大学学习。有一天，为了准备口语考试，我请了一位朋友帮助我。我们在教室里学习了一个半小时就回家了。到家以后我才发现我的手机不见了。我很着急，立刻跑回学校去找。可是到了教室，门已经锁上了。我的腿一下子就软了。虽然我的手机不贵，但是它是我妈妈给我买的。重要的东西都记在手机里面，没有它，我怎么办呢？再说，我怎么对妈妈说呢？

可是着急也没有用，我只好回家。下楼时，正好看到几位服务

娱乐 yúlè
to enjoy oneself

忘不了
wàng bu liǎo
can not forget

学期 xuéqī term

锁 suǒ to be locked

一下子 yíxiàzi
all of a sudden

软 ruǎn shaky

再说 zàishuō besides

正好 zhènghǎo
coincidentally

我在中国的那些日子

Wǒ juéde měi ge liúxuéshēng de shēnghuó
dōu yíyàng, měi tiān chī fàn、 xuéxí、 yúlè、 xiūxi.
Dànshì, jiù shì zài zhème jiǎndān de shēnghuó
zhōng yě huì fāshēng hěn duō shìqing. Lái Zhōngguó
yǐhòu, yǒu yí jiàn shì ràng wǒ yìzhí wàng bu liǎo.

　　Shàng ge xuéqī wǒ zài Běijīng Yǔyán Dàxué
xuéxí. Yǒu yì tiān, wèile zhǔnbèi kǒuyǔ kǎoshì,
wǒ qǐngle yí wèi péngyou bāngzhù wǒ. Wǒmen
zài jiàoshì li xuéxíle yí ge bàn xiǎoshí jiù huí jiā le.
Dào jiā yǐhòu wǒ cái fāxiàn wǒ de shǒujī bú jiàn
le. Wǒ hěn zháojí, lìkè pǎohuí xuéxiào qù zhǎo.
Kěshì dàole jiàoshì, mén yǐjīng suǒshang le. Wǒ de
tuǐ yíxiàzi jiù ruǎn le. Suīrán wǒ de shǒujī bú guì,
dànshì tā shì wǒ māma gěi wǒ mǎi de. Zhòngyào
de dōngxi dōu jì zài shǒujī lǐmian, méiyou tā,
wǒ zěnme bàn ne? Zàishuō, wǒ zěnme duì māma
shuō ne?

　　Kěshì zháojí yě méiyou yòng, wǒ zhǐhǎo huí jiā.
Xià lóu shí, zhènghǎo kàndào jǐ wèi fúwùyuán,

手机的故事

20 员，我马上跑过去，说不定她们会知道我的手机在哪儿。

说不定 shuōbudìng perhaps

我告诉她们，我可能把手机丢在教室里了。她们问了我很多问题，什么牌子啦，什么颜色啦，等

牌子 páizi trademark, brand

25 等。她们一边问，还一边笑。我想，难道她们不知道我很着急吗？最后她们问我的手机号码。我一边说，她们一边记在手机上。突然我听到了熟悉的手机铃声。这

等等 děngděng and so on

难道 nándào used in a rhetorical question for emphasis

号码 hàomǎ number

突然 tūrán suddenly

30 不是我的手机的声音吗？后来，她们笑着把手机还给了我。我高兴得不知道该说什么好，只是不停地说"谢谢，谢谢"。"不用谢，这是应该的。"她们的回答真的让我很

铃声 língshēng ring of a bell

35 感动。

感动 gǎndòng to be moved

来北京以前，我听到过一些说中国人不好的话；来北京以后，也发生过一些不愉快的事情。其实

其实 qíshí in fact

wǒ mǎshàng pǎo guoqu, shuōbudìng tāmen huì zhīdao wǒ de shǒujī zài nǎr.

Wǒ gàosu tāmen, wǒ kěnéng bǎ shǒujī diū zài jiàoshì li le. Tāmen wènle wǒ hěn duō wèntí, shénme páizi la, shénme yánsè la, děngděng. Tāmen yìbiān wèn, hái yìbiān xiào. Wǒ xiǎng, nándào tāmen bù zhīdào wǒ hěn zháojí ma? Zuìhòu tāmen wèn wǒ de shǒujī hàomǎ. Wǒ yìbiān shuō, tāmen yìbiān jì zài shǒujī shang. Tūrán wǒ tīngdàole shúxi de shǒujī língshēng. Zhè bú shì wǒ de shǒujī de shēngyīn ma? Hòulái, tāmen xiàozhe bǎ shǒujī huán gěi le wǒ. Wǒ gāoxìng de bù zhīdào gāi shuō shénme hǎo, zhǐshì bù tíng de shuō "xièxie, xièxie". "Bú yòng xiè, zhè shì yīnggāi de." Tāmen de huídá zhēn de ràng wǒ hěn gǎndòng.

手机的故事

Lái Běijīng yǐqián, wǒ tīngdàoguo yìxiē shuō Zhōngguórén bù hǎo de huà; lái Běijīng yǐhòu, yě fāshēngguo yìxiē bù yúkuài de shìqing. Qíshí

哪儿的人都一样，有好的，也有不
40 好的。中国人当然也是这样。从那
天起，我对中国人的看法跟以前不
一样了。我觉得中国好的方面也挺
多的。我希望以后中国好的方面越
来越多，不好的方面越来越少。所
45 以，我回国以后要把我看到的中国
的好的方面告诉大家。

看法 kànfa
point of view

越来越 yuè lái yuè
more and more

选自：北京语言大学汉语速成学院留学生作文选五《留学在中国》

我在中国的那些日子

我来写两句

nǎr de rén dōu yíyàng, yǒu hǎo de, yě yǒu bù hǎo de. Zhōngguórén dāngrán yě shì zhèyàng. Cóng nà tiān qǐ, wǒ duì Zhōngguórén de kànfa gēn yǐqián bù yíyàng le. Wǒ juéde Zhōngguó hǎo de fāngmiàn yě tǐng duō de. Wǒ xīwàng yǐhòu Zhōngguó hǎo de fāngmiàn yuè lái yuè duō, bù hǎo de fāngmiàn yuè lái yuè shǎo. Suǒyǐ, wǒ huí guó yǐhòu yào bǎ wǒ kàndào de Zhōngguó de hǎo de fāngmiàn gàosu dàjiā.

手机的故事

Wǒ Lái Xiě Liǎng Jù

你看懂了吗？

(1) "我"的手机丢在哪儿了？
"Wǒ" de shǒujī diū zài nǎr le?

(2) "我"为什么又听到了熟悉的手机铃声？
"Wǒ" wèi shénme yòu tīngdàole shúxi de shǒujī língshēng?

→ jiǎn, to pick up

(3) 是谁捡到了"我"的手机？
Shì shéi jiǎndàole "wǒ" de shǒujī?

(4) "我"对中国人的看法有什么变化？
"Wǒ" duì Zhōngguórén de kànfa yǒu shénme biànhuà?

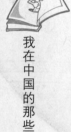

我在中国的那些日子

我来写两句

_____

_____

_____

_____

_____

_____

time: 5 mins
words: 529

15

Zhōngguórén   Tèbié   Xǐhuan   Háizi

中国人特别喜欢孩子

[Àodàlìyà] Wèi Yīn
[澳大利亚] 魏音
→ Australia

Yuèdú Tíshì:
阅读提示：

　　澳大利亚学生魏音有一个孩子，很多中国人都很喜欢她的孩子。他们常常亲她的孩子，抱她的孩子。中国人这样做她有点儿不太习惯。你猜猜她的孩子会习惯吗？
　　　　→ cāi, to guess

　　Àodàlìyà xuésheng Wèi Yīn yǒu yí ge háizi, hěn duō Zhōngguórén dōu hěn xǐhuan tā de háizi. Tāmen chángcháng qīn tā de háizi, bào tā de háizi. Zhōngguórén zhèyàng zuò tā yǒudiǎnr bú tài xíguàn. Nǐ cāicai tā de háizi huì xíguàn ma?

109

六年前，我在上海工作。那时我还没有结婚，生活很轻松，没有觉得中国的习俗跟澳大利亚有什么不一样。这次我是为学习汉语到中国来的。现在我已经有了一个幸福的家庭，丈夫也在北京语言大学学习汉语。我们还有一个刚满 10 个月的孩子，他给我们全家带来了快乐，也是这个孩子让我了解到一些中国和澳大利亚不一样的习俗。

这次来北京，我生活的圈子大了，认识的人也多了起来。给我印象最深的是，北京人热情友好，大人、小孩都喜欢外国孩子。我常推着我的孩子在小区附近散步，去商店买东西，坐出租车去公园玩儿。去这些地方的时候，常常有中国人好奇地看着车里坐着的孩子。人们关心地问："冷不冷？""几岁

结婚 jié hūn
to marry

轻松 qīngsōng
carefree

习俗 xísú custom

丈夫 zhàngfu
husband

快乐 kuàilè happy

圈子 quānzi circle

印象 yìnxiàng
impression

小区 xiǎoqū
residential area

好奇 hàoqí
curious

Liù nián qián, wǒ zài Shànghǎi gōngzuò. Nàshí wǒ hái méiyou jiéhūn, shēnghuó hěn qīngsōng, méiyou juéde Zhōngguó de xísú gēn Àodàlìyà yǒu shénme bù yíyàng. Zhè cì wǒ shì wèi xuéxí Hànyǔ dào Zhōngguó lái de. Xiànzài wǒ yǐjīng yǒule yí ge xìngfú de jiātíng, zhàngfu yě zài Běijīng Yǔyán Dàxué xuéxí Hànyǔ. Wǒmen hái yǒu yí ge gāng mǎn shí ge yuè de háizi, tā gěi wǒmen quán jiā dàiláile kuàilè, yě shì zhège háizi ràng wǒ liǎojiě dào yìxiē Zhōngguó hé Àodàlìyà bù yíyàng de xísú.

Zhè cì lái Běijīng, wǒ shēnghuó de quānzi dà le, rènshi de rén yě duō le qǐlai. Gěi wǒ yìnxiàng zuì shēn de shì, Běijīngrén rèqíng yǒuhǎo, dàren、xiǎohái dōu xǐhuan wàiguó háizi. Wǒ cháng tuīzhe wǒ de háizi zài xiǎoqū fùjìn sànbù, qù shāngdiàn mǎi dōngxi, zuò chūzūchē qù gōngyuán wánr. Qù zhèxiē dìfang de shíhou, chángcháng yǒu Zhōngguórén hàoqí de kànzhe chē li zuòzhe de háizi. Rénmen guānxīn de wèn: "Lěng bu lěng?" "Jǐ

中国人特别喜欢孩子

20 了？"　"他喜欢吃什么？"……有
的轻轻地摸他的手和脸，有的亲吻
他，有的抱他，甚至把孩子举起
来。我觉得很奇怪，也很难理解。
澳大利亚人也喜欢孩子，但是不
25 认识的人不能随便过来看别人的孩
子，也不会问一些跟自己没有关系
的问题，更不会抱人家的孩子，这
有点儿不太礼貌。

　　可是我的孩子却习惯了人们
30 这样对待他。中国叔叔、阿姨夸奖
他的时候，他特别高兴，他好像
懂得这是中国人友好的表示。我
想，在北京的生活会给他留下很好
的印象。我们回国后，他一定会感
35 到寂寞，他会很奇怪地问："为什
么没有那么多人来看我、关心我了
呢？……"

轻轻地	qīngqīng de softly
摸	mō to touch
亲吻	qīnwěn to kiss
甚至	shènzhì even
奇怪	qíguài strange
理解	lǐjiě to understand
随便	suíbiàn at random
人家	rénjia other people
礼貌	lǐmào courtesy
对待	duìdài to treat
叔叔	shūshu uncle
阿姨	āyí aunt
夸奖	kuājiǎng to praise
感到	gǎndào to feel
寂寞	jìmò lonely

选自：北京语言大学汉语速成学院留学生作文选四《留学在中国》

suì le?" "Tā xǐhuan chī shénme? " ······ Yǒude qīngqīng de mō tā de shǒu hé liǎn, yǒude qīnwěn tā, yǒude bào tā, shènzhì bǎ háizi jǔ qilai. Wǒ juéde hěn qíguài, yě hěn nán lǐjiě. Àodàlìyàrén yě xǐhuan háizi, dànshì bú rènshi de rén bù néng suíbiàn guòlai kàn biéren de háizi, yě bú huì wèn yìxiē gēn zìjǐ méiyou guānxi de wèntí, gèng bú huì bào rénjia de háizi, zhè yǒudiǎnr bú tài lǐmào.

Kěshì wǒ de háizi què xíguànle rénmen zhèyàng duìdài tā. Zhōngguó shūshu、āyí kuājiǎng tā de shíhou, tā tèbié gāoxìng, tā hǎoxiàng dǒngde zhè shì Zhōngguórén yǒuhǎo de biǎoshì. Wǒ xiǎng, zài Běijīng de shēnghuó huì gěi tā liúxià hěn hǎo de yìnxiàng. Wǒmen huí guó hòu, tā yídìng huì gǎndào jìmò, tā huì hěn qíguài de wèn: "Wèi shénme méiyou nàme duō rén lái kàn wǒ、guānxīn wǒ le ne?······"

中国人特别喜欢孩子

(1) 从什么地方可以看出中国人很喜欢"我"的孩子?

Cóng shénme dìfang kěyǐ kànchū Zhōngguórén hěn xǐhuan "wǒ" de háizi?

(2) 中国人抱"我"的孩子,"我"为什么觉得很奇怪?

Zhōngguórén bào "wǒ" de háizi, "wǒ" wèi shénme juéde hěn qíguài?

(3) "我"的孩子习惯中国人这样对待他吗?

"Wǒ" de háizi xíguàn Zhōngguórén zhèyàng duìdài tā ma?

我在中国的那些日子

我来写两句

Zhè Jiàn Shì Wǒ Yǒngyuǎn Wàng Bu Liǎo

这件事我永远忘不了

unforgettable

[Rìběn] Bābǎn Měiyùjì
[日本] 八板美裕纪

tǎo jià huán jià, to bargain

Yuèdú Tíshì:
阅读提示：

你知道吗？在中国，到一些商店买东西是可以讨价还价的，但是如果还价后又不想买了，会发生什么事呢？请你看看这个留学生买东西的故事吧。

Nǐ zhīdao ma? Zài Zhōngguó, dào yìxiē shāngdiàn mǎi dōngxi shì kěyǐ tǎo jià huán jià de, dànshì rúguǒ huánjià hòu yòu bù xiǎng mǎi le, huì fāshēng shénme shì ne? Qǐng nǐ kànkan zhège liúxuéshēng mǎi dōngxi de gùshi ba.

115

这个星期一，我去五道口逛商店，想买衣服和鞋。我去了好几个店，在一家店里买了两件衣服。原来卖700多块的衣服，我只花了230
5　块就买到手了，心里很高兴。然后我又进了一个店，那里有一件很漂亮的衣服。我看着那件衣服，很想买，不过已经买了两件了，所以也很犹豫。这时候售货员小姐对我说：
10　"你想买吗？这件衣服你穿很漂亮，而且质量也很好。可以便宜一点儿。你说个价钱。"我说："100块。"当时我已经决定不买了，所以把价钱压得很低。她说："100块
15　不行。"是啊，原来400块钱的衣服，怎么能卖100块？我放心了。于是我说："我现在真的没有那么多钱，不要了。"她觉得我这样说是为了讨价还价。在我要走出店门的

五道口
Wǔdàokǒu
name of a place

逛　guàng　to stroll

鞋　xié　shoe

犹豫　yóuyù
to hesitate

售货员
shòuhuòyuán
shop assistant

质量　zhìliàng
quality

价钱　jiàqian　price

当时　dāngshí
at that time

压　yā
to demand price
reduction

放心　fàng xīn
to feel relieved

于是　yúshì　so

116

Zhège xīngqīyī, wǒ qù Wǔdàokǒu guàng shāngdiàn, xiǎng mǎi yīfu hé xié. Wǒ qùle hǎojǐ ge diàn, zài yì jiā diàn li mǎile liǎng jiàn yīfu. Yuánlái mài qībǎi duō kuài de yīfu, wǒ zhǐ huāle èrbǎi sānshí kuài jiù mǎidào shǒu le, xīnli hěn gāoxìng. Ránhòu wǒ yòu jìnle yí ge diàn, nàli yǒu yí jiàn hěn piàoliang de yīfu. Wǒ kànzhe nà jiàn yīfu, hěn xiǎng mǎi, búguò yǐjīng mǎile liǎng jiàn le, suǒyǐ yě hěn yóuyù. Zhè shíhou shòuhuòyuán xiǎojie duì wǒ shuō: "Nǐ xiǎng mǎi ma? Zhè jiàn yīfu nǐ chuān hěn piàoliang, érqiě zhìliàng yě hěn hǎo. Kěyǐ piányi yìdiǎnr. Nǐ shuō ge jiàqian." Wǒ shuō: "Yìbǎi kuài." Dāngshí wǒ yǐjīng juédìng bù mǎi le, suǒyǐ bǎ jiàqian yā de hěn dī. Tā shuō: "Yìbǎi kuài bù xíng." Shì a, yuánlái sìbǎi kuài qián de yīfu, zěnme néng mài yìbǎi kuài? Wǒ fàngxīn le. Yúshì wǒ shuō: "Wǒ xiànzài zhēn de méiyou nàme duō qián, bú yào le." Tā juéde wǒ zhèyàng shuō shì wèile tǎo jià

这件事我永远忘不了

20 时候，她突然说："好吧，一百块就
一百块，拿走吧。"这可把我难住
了。不过我还是决定不买，所以我
又说："不要!"那个小姐生气了。
她说话说得很快，我听不太懂。我
25 想，大概的意思是说我耍她了，她
的自尊心被我伤害了。我也感觉有
点儿对不起她。她一直说得很快，
我也一直说"不要"。这样无法了
结，于是我决定出去。这时，她
30 用力地拉住我，火气越来越大，
我越来越害怕。可是我还是说"不
要"，因为我觉得我一定不能输给
她! 这时候很多人看着我们。在我
们僵持不下的时候，来了两个女学
35 生。她俩了解了情况以后就去说服
售货员。不过售货员一直很生气，
我仍然不能出去。这时，她俩看了
看那件衣服，竟然看中了，于是她

突然　tūrán　suddenly

生气　shēng qì
to get angry

耍　shuǎ
to make fun of

自尊心　zìzūnxīn
self-respect

伤害　shānghài　to hurt

感觉　gǎnjué　to feel

了结　liǎojié
to bring to an end

用力　yòng lì
to exert oneself
physically

火气　huǒqì　temper

越来越
yuè lái yuè
more and more

害怕　hài pà
to be afraid

输　shū
to lose, to admit defeat

僵持不下
jiāngchí bú xià
to refuse to budge,
to be at a deadlock

说服　shuōfú
to persuade

仍然　réngrán
still, yet

竟然　jìngrán
unexpectedly

huán jià. Zài wǒ yào zǒuchū diànmén de shíhou, tā tūrán shuō: "Hǎo ba, yìbǎi kuài jiù yìbǎi kuài, názǒu ba." Zhè kě bǎ wǒ nánzhù le. Búguò wǒ háishi juédìng bù mǎi, suǒyǐ wǒ yòu shuō: "Bú yào!" Nàge xiǎojie shēngqì le. Tā shuōhuà shuō de hěn kuài, wǒ tīng bú tài dǒng. Wǒ xiǎng, dàgài de yìsi shì shuō wǒ shuǎ tā le, tā de zìzūnxīn bèi wǒ shānghài le. Wǒ yě gǎnjué yǒudiǎnr duìbuqǐ tā. Tā yìzhí shuō de hěn kuài, wǒ yě yìzhí shuō "bú yào". Zhèyàng wúfǎ liǎojié, yúshì wǒ juédìng chūqu. Zhè shí, tā yònglì de lāzhù wǒ, huǒqì yuè lái yuè dà, wǒ yuè lái yuè hàipà. Kěshì wǒ háishi shuō "bú yào", yīnwèi wǒ juéde wǒ yídìng bù néng shū gěi tā! Zhè shíhou hěn duō rén kànzhe wǒmen. Zài wǒmen jiāngchí bú xià de shíhou, láile liǎng ge nǚ xuésheng. Tā liǎ liǎojiěle qíngkuàng yǐhòu jiù qù shuōfú shòuhuòyuán. Búguò shòuhuòyuán yìzhí hěn shēngqì, wǒ réngrán bù néng chūqu. Zhèshí, tā liǎ kànle kàn nà jiàn yīfu, jìngrán kànzhòng le,

这件事我永远忘不了

们买了那件衣服。就这样，我才得
40 到解脱，我非常感谢她们。

出了商店以后，我跟这两个
女学生交了朋友。她们竟然和我一
样，也才20岁。我们已经约好这个
星期天一起去玩儿，她们答应帮我
45 练习说汉语。我想起中国有一个叫
"塞翁失马"的成语故事，意思是
说，坏事在一定条件下可以变成
好事。跟售货员之间发生的不愉
快的事是坏事，可是如果不发生那
50 件事情的话，我也许交不上这两个
好朋友。

解脱 jiětuō
to free oneself from

答应 dāying
to agree

塞翁失马
sài wēng shī mǎ
misfortune might be
a blessing in disguise

成语 chéngyǔ
idiom, proverb

我在中国的那些日子

原名：《一件难忘的事》
选自：北京语言大学汉语速成学院留学生作文选三《留学在中国》

yúshì tāmen mǎile nà jiàn yīfu. Jiù zhèyàng, wǒ cái dédào jiětuō, wǒ fēicháng gǎnxiè tāmen.

　　Chūle shāngdiàn yǐhòu, wǒ gēn zhè liǎng ge nǚ xuésheng jiāole péngyou. Tāmen jìngrán hé wǒ yíyàng, yě cái èrshí suì. Wǒmen yǐjīng yuēhǎo zhège xīngqītiān yìqǐ qù wánr, tāmen dāying bāng wǒ liànxí shuō Hànyǔ. Wǒ xiǎngqǐ Zhōngguó yǒu yí ge jiào "Sài wēng shī mǎ" de chéngyǔ gùshi, yìsi shì shuō, huàishì zài yídìng tiáojiàn xià kěyǐ biànchéng hǎoshì. Gēn shòuhuòyuán zhījiān fāshēng de bù yúkuài de shì shì huàishì, kěshì rúguǒ bù fāshēng nà jiàn shìqing de huà, wǒ yěxǔ jiāo bu shàng zhè liǎng ge hǎo péngyou.

这件事我永远忘不了

Wǒ Lái Xiě Liǎng Jù

(1) "我"为什么要把那件衣服的价钱压得很低?

"Wǒ" wèi shénme yào bǎ nà jiàn yīfu de jiàqian yā de hěn dī?

(2) 那件衣服被谁买走了?

Nà jiàn yīfu bèi shéi mǎizǒu le?

(3) "我"为什么觉得跟售货员之间发生的不愉快的坏事变成了好事?

"Wǒ" wèi shénme juéde gēn shòuhuòyuán zhī jiān fāshēng de bù yúkuài de huàishì biànchéngle hǎoshì?

我在中国的那些日子

我来写两句

_____

_____

_____

_____

_____

_____

_____

Zhōngguó Xuésheng Zhēn Kèkǔ

中国学生真刻苦

> hard-working

[Yuènán] Féng Qīngxiù

[越南] 冯清秀

> Vietnam

Yuèdú Tíshì:

阅读提示：

你认识中国的中学生或大学生吗？你知道他们是怎么学习的吗？
如果你想了解一些他们学习的事情，就请看看这篇文章吧。

Nǐ rènshi Zhōngguó de zhōngxuéshēng huò dàxuéshēng ma?
Nǐ zhīdao tāmen shì zěnme xuéxí de ma? Rúguǒ nǐ xiǎng liǎojiě yìxiē
tāmen xuéxí de shìqing, jiù qǐng kànkan zhè piān wénzhāng ba.

在越南的时候，我就听说中国学生学习十分刻苦。来到中国之后，看到的真是和听到的一样！在我认识的中国大学生中，没有一个
5 不努力学习的，他们好像都有十分明确的目标，而且有向这个目标前进的决心。每次和他们谈话都觉得他们十分有朝气，有追求。和他们一起学习时，更感到他们有用不完
10 的精力。我每次学习了一两个小时就觉得很累了，而他们坐在那儿几个小时都没有累的样子。我感到十分奇怪，就问他们："为什么要这么努力？"他们告诉我："中国现在
15 竞争十分激烈，如果不努力就会被淘汰！"我听了以后觉得我们国家的学生真的赶不上中国的学生。

　　不仅大学生是这样，连高中、初中、小学的学生也都是这样。今

之后 zhīhòu after
明确 míngquè clear
目标 mùbiāo goal
前进 qiánjìn to advance, to go forward
决心 juéxīn determination
谈话 tán huà to talk
朝气 zhāoqì vigour
追求 zhuīqiú to seek
感到 gǎndào to feel
精力 jīnglì energy
奇怪 qíguài surprised
竞争 jìngzhēng competition
激烈 jīliè intense
淘汰 táotài to eliminate through selection or competition
赶 gǎn to catch up
不仅 bùjǐn not only
高中 gāozhōng senior high school
初中 chūzhōng junior high school

我在中国的那些日子

Zài Yuènán de shíhou, wǒ jiù tīngshuō Zhōngguó xuésheng xuéxí shífēn kèkǔ. Láidào Zhōngguó zhīhòu, kàndào de zhēnshi hé tīngdào de yíyàng! Zài wǒ rènshi de Zhōngguó dàxuéshēng zhōng, méiyou yí ge bù nǔlì xuéxí de, tāmen hǎoxiàng dōu yǒu shífēn míngquè de mùbiāo, érqiě yǒu xiàng zhège mùbiāo qiánjìn de juéxīn. Měi cì hé tāmen tánhuà dōu juéde tāmen shífēn yǒu zhāoqì, yǒu zhuīqiú. Hé tāmen yìqǐ xuéxí shí, gèng gǎndào tāmen yǒu yòng bu wán de jīnglì. Wǒ měi cì xuéxíle yì liǎng ge xiǎoshí jiù juéde hěn lèi le, ér tāmen zuò zài nàr jǐ ge xiǎoshí dōu méiyou lèi de yàngzi. Wǒ gǎndào shífēn qíguài, jiù wèn tāmen: "Wèi shénme yào zhème nǔlì?" Tāmen gàosu wǒ: "Zhōngguó xiànzài jìngzhēng shífēn jīliè, rúguǒ bù nǔlì jiù huì bèi táotài!" Wǒ tīngle yǐhòu juéde wǒmen guójiā de xuésheng zhēn de gǎn bu shàng Zhōngguó de xuésheng.

Bùjǐn dàxuéshēng shì zhèyàng, lián gāozhōng、chūzhōng、xiǎoxué de xuésheng yě dōu shì zhèyàng.

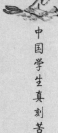

中国学生真刻苦

20 年寒假，我没有回国，而是去了一个中国朋友家，还和他一起去了他的高中。已经快过年了，学校里还有学生在上课。老师认真地讲课，学生们也认真地听课，甚至中午的

25 时候还有学生在学习。我问他们："还没吃饭吗？"他们说："快考大学了，必须认真学习，一点儿时间都不能浪费。"我问他们："累不累？"他们说："这还不算累。我们

30 有的同学晚上到两点多才睡觉，早上五六点又起床了。"这让我感到非常惊讶，这样的事情在越南是十分少见的。

我们越南和中国相邻，可是在

35 发展上却存在很大的差距，无论是在政治、经济上，还是在教育上，甚至在人民的思想上，都存在着差距。中国年轻的一代热爱生活，对

过年 guò nián
to celebrate the
New Year or Spring
Festival

甚至 shènzhì even

考 kǎo
to give or take an
examination

浪费 làngfèi
to waste

惊讶 jīngyà
surprised

相邻 xiāng lín
to adjoin, to border on

存在 cúnzài
to exist, to have

差距 chājù
difference

无论 wúlùn
no matter what

代 dài
generation

热爱 rè'ài
to love deeply

我在中国的那些日子

Jīnnián hánjià, wǒ méiyou huí guó, ér shì qùle yí ge Zhōngguó péngyou jiā, hái hé tā yìqǐ qùle tā de gāozhōng. Yǐjīng kuài guònián le, xuéxiào li hái yǒu xuéshèng zài shàngkè. Lǎoshī rènzhēn de jiǎngkè, xuéshengmen yě rènzhēn de tīngkè, shènzhì zhōngwǔ de shíhou hái yǒu xuéshèng zài xuéxí. Wǒ wèn tāmen: "Hái méi chī fàn ma?" Tāmen shuō: "Kuài kǎo dàxué le, bìxū rènzhēn xuéxí, yìdiǎnr shíjiān dōu bù néng làngfèi." Wǒ wèn tāmen: "Lèi bu lèi?" Tāmen shuō: "Zhè hái bú suàn lèi. Wǒmen yǒude tóngxué wǎnshang dào liǎng diǎn duō cái shuìjiào, zǎoshang wǔ liù diǎn yòu qǐchuáng le." Zhè ràng wǒ gǎndào fēicháng jīngyà, zhèyàng de shìqing zài Yuènán shì shífēn shǎo jiàn de.

中国学生真刻苦

Wǒmen Yuènán hé Zhōngguó xiāng lín, kěshì zài fāzhǎn shang què cúnzài hěn dà de chājù, wúlùn shì zài zhèngzhì, jīngjì shang, háishi zài jiàoyù shang, shènzhì zài rénmín de sīxiǎng shang, dōu cúnzàizhe chājù. Zhōngguó niánqīng de yí dài rè'ài shēnghuó,

40 未来充满希望，他们刻苦学习，希望以后能为国家服务。越南——我的祖国，你什么时候能和中国一样充满朝气？越南的年轻一代，你们什么时候能像中国青年一样充满希望、充满追求？

未来 wèilái
future

充满 chōngmǎn
to be full of

原名：《中国学生学习刻苦》
选自：北京语言大学汉语速成学院留学生作文选四《留学在中国》

我来写两句

duì wèilái chōngmǎn xīwàng, tāmen kèkǔ xuéxí, xīwàng yǐhòu néng wèi guójiā fúwù. Yuènán — wǒ de zǔguó, nǐ shénme shíhou néng hé Zhōngguó yíyàng chōngmǎn zhāoqì? Yuènán de niánqīng yí dài, nǐmen shénme shíhou néng xiàng Zhōngguó qīngnián yíyàng chōngmǎn xīwàng、chōngmǎn zhuīqiú?

中国学生真刻苦

Wǒ Lái Xiě Liǎng Jù

(1) 寒假时"我"去了哪个学校？那个学校放假了吗？
Hánjià shí "wǒ" qùle nǎge xuéxiào? Nàge xuéxiào fàngjiàle ma?

(2) 文章中哪些地方谈到了中国学生学习很刻苦？
Wénzhāng zhōng nǎxiē dìfang tándàole Zhōngguó xuésheng xuéxí hěn kèkǔ?

(3) "我"认为越南和中国在哪些地方存在差距？
"Wǒ" rènwéi Yuènán hé Zhōngguó zài nǎxiē dìfang cúnzài chājù?

我在中国的那些日子

我来写两句

_____

_____

_____

_____

_____

_____

_____

Yí Wèi Zǒuchū Cūnzhuāng de Nóngmín
一位走出村庄的农民

village

[Bèiníng] Kējiā
[贝宁] 科加
Benin

Yuèdú Tíshì:
阅读提示:

cónglái, at all times

pífū, skin

有一个中国农民，他从来没见过黑皮肤的外国人。有一天，他在地铁里见到了一个黑皮肤的留学生，他很奇怪。后来发生了什么事呢？请你自己看吧。

qíguài, surprised, strange

dìtiě, subway

Yǒu yí ge Zhōngguó nóngmín, tā cónglái méi jiànguo hēi pífū de wàiguórén. Yǒu yì tiān, tā zài dìtiě li jiàndàole yí ge hēi pífū de liúxuéshēng, tā hěn qíguài. Hòulái fāshēngle shénme shì ne? Qǐng nǐ zìjǐ kàn ba.

今年5月的一天，我和几个同学一起去大使馆。在地铁里，我们用学过的汉语谈话。一个30多岁的男人一直好奇地看着我们。我忍不住了，对他说："您好！"他也说了一声："您好！"接着他问我："你是非洲人吗？是哪个国家的？"

他一边说话，一边用手在我的手背上擦了几下。我的同学生气地对他说："你干什么？"周围的人也批评他。但我笑着对大家说："没关系，没关系。"我问他："你为什么要这样做？"他很不好意思地小声说："你们的皮肤上抹什么了？我一直觉得黑皮肤太奇怪了……"我笑着对他说："我们的皮肤天生就是这样，就像你们的皮肤天生就是黄颜色一样。"他不好意思地又说："我第一次见到这种

大使馆
dàshǐguǎn
embassy

谈话 tán huà
to chat, to talk

好奇 hàoqí
curious

忍不住 rěn bu zhù
can't help (doing sth.)

非洲 Fēizhōu Africa

手背 shǒubèi
back of the hand

生气 shēng qì
to get angry

批评 pīpíng
to criticize

不好意思
bù hǎoyìsi
to feel embarrassed

抹 mǒ to wipe

天生 tiānshēng
innate, born

Jīnnián wǔyuè de yì tiān, wǒ hé jǐ ge tóngxué yìqǐ qù dàshǐguǎn. Zài dìtiě li, wǒmen yòng xuéguo de Hànyǔ tán huà. Yí ge sānshí duō suì de nánrén yìzhí hàoqí de kànzhe wǒmen. Wǒ rěn bu zhù le, duì tā shuō: "Nín hǎo!" Tā yě shuōle yì shēng: "Nín hǎo!" Jiēzhe tā wèn wǒ: "Nǐ shì Fēizhōurén ma? Shì nǎge guójiā de? "

Tā yìbiān shuōhuà, yìbiān yòng shǒu zài wǒ de shǒubèi shang cāle jǐ xià. Wǒ de tóngxué shēngqì de duì tā shuō: "Nǐ gàn shénme?" Zhōuwéi de rén yě pīpíng tā. Dàn wǒ xiàozhe duì dàjiā shuō: "Méi guānxi, méi guānxi." Wǒ wèn tā: "Nǐ wèi shénme yào zhèyàng zuò?" Tā hěn bù hǎoyìsi de xiǎoshēng shuō: "Nǐmen de pífū shang mǒ shénme le? Wǒ yìzhí juéde hēi pífū tài qíguài le……" Wǒ xiàozhe duì tā shuō: "Wǒmen de pífū tiānshēng jiù shì zhèyàng, jiù xiàng nǐmen de pífū tiānshēng jiù shì huáng yánsè yíyàng." Tā bù hǎoyìsi de yòu shuō: "Wǒ dì yī cì jiàndào

一位走出村庄的农民

20 黑色的皮肤，以为不是真的，所以
才摸了你的手背。对不起！"

车要到建国门站了，我给他
写下了我的地址，希望他能给我
写信。

25 过了几天，我真的收到了他的
信。他在信里说，他住在农村，那
里从来没有去过外国人，他不知道
这个世界有那么大，还有那么多不
同肤色的人。他在信里又一次向我
30 道歉。

从这个朋友的身上，我看到了
他走出农村、认识世界的勇气。我
很高兴认识他。

摸 mō to touch

建国门 Jiànguó Mén
name of a place

地址 dìzhǐ address

肤色 fūsè
color of skin

道歉 dào qiàn
to apologize

勇气 yǒngqì courage

我在中国的那些日子

zhè zhǒng hēisè de pífū, yǐwéi bú shì zhēn de,

suǒyǐ cái mōle nǐ de shǒubèi. Duìbuqǐ!"

Chē yào dào Jiànguó Mén Zhàn le, wǒ gěi

tā xiěxiàle wǒ de dìzhǐ, xīwàng tā néng gěi wǒ

xiě xìn.

Guòle jǐ tiān, wǒ zhēn de shōudàole tā de

xìn. Tā zài xìn li shuō, tā zhù zài nóngcūn, nàli

cónglái méiyou qùguo wàiguórén, tā bù zhīdào

zhège shìjiè yǒu nàme dà, hái yǒu nàme duō

bù tóng fūsè de rén. Tā zài xìn li yòu yí cì xiàng

wǒ dàoqiàn.

Cóng zhège péngyou de shēnshang, wǒ

kàndàole tā zǒuchū nóngcūn、rènshi shìjiè de

yǒngqì. Wǒ hěn gāoxìng rènshi tā.

一位走出村庄的农民

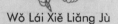

Wǒ Lái Xiě Liǎng Jù

(1) 那个 30 多岁的男人是做什么的?
Nàge sānshí duō suì de nánrén shì zuò shénme de?

(2) 那个男的为什么用手在"我"的手背上擦了几下?
Nàge nánde wèi shénme yòng shǒu zài "wǒ" de shǒubèi shang cāle jǐ xià?

(3) "我"为什么很高兴认识那个男人?
"Wǒ" wèi shénme hěn gāoxìng rènshi nàge nánrén?

我在中国的那些日子

我来写两句

_____

_____

_____

_____

_____

_____

_____

Běijīng de Zhàngfu Zěnme
北京的丈夫怎么
husband

Duìdài Qīzi
对待 妻子
to treat

wife

[Yìndùníxīyà] Liú Nídá
[印度尼西亚] 刘霓妲
Indonesia

Yuèdú Tíshì:
阅读提示：

jiāwù, housework

　　这位留学生给我们介绍了一个喜欢帮助妻子做家务的丈夫，这样的丈夫在北京有很多。他为什么愿意帮助妻子做家务呢？你看看他是怎么说的吧。

　　Zhè wèi liúxuéshēng gěi wǒmen jièshàole yí ge xǐhuan bāngzhù qīzi zuò jiāwù de zhàngfu, zhèyàng de zhàngfu zài Běijīng yǒu hěn duō. Tā wèi shénme yuànyì bāngzhù qīzi zuò jiāwù ne? Nǐ kànkan tā shì zěnme shuō de ba.

在印尼，很多人认为男人不应该做家务，做饭、洗衣服、照顾孩子都是女人的事。男人应该做男人的事，白天在外面工作，下班以后不需要帮助妻子，只要坐着看看电视或者看看报纸就行了。可是在北京却不是这样，丈夫很关心妻子。

我在北京有一个朋友，比我大很多，我叫她阿姨。她是印尼人，可是她丈夫是中国人。他们在北京已经住了40多年了。我常常去阿姨家玩儿，因为我在这儿没有亲戚。有一天早上，我有事找阿姨。刚到她家就看见叔叔（阿姨的丈夫）正在收拾屋子，可是阿姨却坐在椅子上看报纸。收拾完屋子以后，叔叔又给我们做午饭，做了很多好吃的菜。第一次看到这样的情况，我很吃惊，因为没想到在北京有这样好

印尼 Yìnní
abbreviation for Indonesia

白天 báitiān
daytime

下班 xià bān
to get off work

报纸 bàozhǐ
newspaper

阿姨 āyí
a form of address for a woman of one's mother's generation

亲戚 qīnqi relative

叔叔 shūshu
a form of address for a man of one's father's generation

吃惊 chī jīng
to be surprised

Zài Yìnní, hěn duō rén rènwéi nánrén bù yīnggāi zuò jiāwù, zuò fàn、xǐ yīfu、zhàogù háizi dōu shì nǚrén de shì. Nánrén yīnggāi zuò nánrén de shì, báitiān zài wàimian gōngzuò, xiàbān yǐhòu bù xūyào bāngzhù qīzi, zhǐyào zuòzhe kànkan diànshì huòzhě kànkan bàozhǐ jiù xíng le. Kěshì zài Běijīng què bú shì zhèyàng, zhàngfu hěn guānxīn qīzi.

Wǒ zài Běijīng yǒu yí ge péngyou, bǐ wǒ dà hěn duō, wǒ jiào tā āyí. Tā shì Yìnnírén, kěshì tā zhàngfu shì Zhōngguórén. Tāmen zài Běijīng yǐjīng zhùle sìshí duō nián le. Wǒ chángcháng qù āyí jiā wánr, yīnwèi wǒ zài zhèr méiyou qīnqi. Yǒu yì tiān zǎoshang, wǒ yǒu shì zhǎo āyí. Gāng dào tā jiā jiù kànjiàn shūshu (āyí de zhàngfu) zhèngzài shōushi wūzi, kěshì āyí què zuò zài yǐzi shang kàn bàozhǐ. Shōushi wán wūzi yǐhòu, shūshu yòu gěi wǒmen zuò wǔfàn, zuòle hěn duō hǎochī de cài. Dì yī cì kàndào zhèyàng de qíngkuàng, wǒ hěn chījīng, yīnwèi méi xiǎngdào zài Běijīng yǒu zhèyàng hǎo

北京的丈夫怎么对待妻子

20 的丈夫。

我觉得像叔叔这样的丈夫很
好。家务事不应该都是妻子的事，
丈夫也应该帮妻子做。但是有很多
男人不同意我的看法，他们认为如

看法 kànfa
point of view

25 果男人做女人的事，那个男人就不
是真正的男人。以前在印尼有这种
想法的人很多，但是现在也有了很
大的变化。

想法 xiǎngfa idea

我不太清楚从什么时候起中国
30 有了这种变化，因为我在印尼时对
中国的了解太少了。我想知道中国
的丈夫为什么对妻子这么好。有一
次我就问叔叔："为什么您愿意帮

愿意 yuànyì
to be willing to

助阿姨做家务事？"他告诉我说：
35 "这是因为我很爱她，不想让她在
家里太累。"虽然叔叔说得不太具

具体 jùtǐ concrete

体，可是我想，很多的中国丈夫也
会这样回答。

de zhàngfu.

Wǒ juéde xiàng shūshu zhèyàng de zhàngfu hěn hǎo. Jiāwùshì bù yīnggāi dōu shì qīzi de shì, zhàngfu yě yīnggāi bāng qīzi zuò. Dànshì yǒu hěn duō nánrén bù tóngyì wǒ de kànfa, tāmen rènwéi rúguǒ nánrén zuò nǚrén de shì, nàge nánrén jiù bú shì zhēnzhèng de nánrén. Yǐqián zài Yìnní yǒu zhè zhǒng xiǎngfa de rén hěn duō, dànshì xiànzài yě yǒule hěn dà de biànhuà.

Wǒ bú tài qīngchu cóng shénme shíhou qǐ Zhōngguó yǒule zhè zhǒng biànhuà, yīnwèi wǒ zài Yìnní shí duì Zhōngguó de liǎojiě tài shǎo le. Wǒ xiǎng zhīdao Zhōngguó de zhàngfu wèi shénme duì qīzi zhème hǎo. Yǒu yí cì wǒ jiù wèn shūshu: "Wèi shénme nín yuànyì bāngzhù āyí zuò jiāwùshì?" Tā gàosu wǒ shuō: "Zhè shì yīnwèi wǒ hěn ài tā, bù xiǎng ràng tā zài jiāli tài lèi." Suīrán shūshu shuō de bú tài jùtǐ, kěshì wǒ xiǎng, hěn duō de Zhōngguó zhàngfu yě huì zhèyàng huídá.

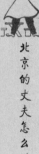

北京的丈夫怎么对待妻子

看来，在北京，在中国，这样
40 的丈夫越来越多。我认为这样的情
况很好，如果丈夫和妻子都能互相
帮助，生活一定很有意思。我希望
像中国这样的好丈夫越来越多，每
个家庭的生活越来越幸福。

看来 kànlái
apparently

越来越
yuè lái yuè
more and more

原名：《在北京，丈夫怎么对待妻子》
选自：《留学岁月》，北京语言大学出版社，2000年

我来写两句

Kànlái, zài Běijīng, zài Zhōngguó, zhèyàng de zhàngfu yuè lái yuè duō. Wǒ rènwéi zhèyàng de qíngkuàng hěn hǎo, rúguǒ zhàngfu hé qīzi dōu néng hùxiāng bāngzhù, shēnghuó yídìng hěn yǒu yìsi. Wǒ xīwàng xiàng Zhōngguó zhèyàng de hǎo zhàngfu yuè lái yuè duō, měi ge jiātíng de shēnghuó yuè lái yuè xìngfú.

Wǒ Lái Xiě Liǎng Jù

北京的丈夫怎么对待妻子

(1) 为什么有的人认为男人不应该做女人的事?
Wèi shénme yǒude rén rènwéi nánrén bù yīnggāi zuò nǚrén de shì?

(2) 叔叔为什么愿意帮阿姨做家务?
Shūshu wèi shénme yuànyì bāng āyí zuò jiāwù?

(3) "我" 觉得像叔叔这样的丈夫怎么样?
"Wǒ" juéde xiàng shūshu zhèyàng de zhàngfu zěnmeyàng?

我在中国的那些日子

我来写两句

_____

_____

_____

_____

_____

_____

_____

_____

Cānguān　Nóngmíngōng　Zǐdì　Xuéxiào

参观农民工 子弟学校

farmer labourer ←

→ children

[Yīngguó] Kǎsāngdélā
〔英国〕 卡桑德拉
→ U. K.

Yuèdú Tíshì:
阅读提示：

→ fùmǔ, parents

　　有这样一个学校，那里有很多农民的孩子，他们的父母都是从农村来北京工作的。这个学校跟别的学校有什么不一样呢？你看了这篇文章就知道了。

　　Yǒu zhèyàng yí ge xuéxiào, nàli yǒu hěn duō nóngmín de háizi, tāmen de fùmǔ dōu shì cóng nóngcūn lái Běijīng gōngzuò de. Zhège xuéxiào gēn bié de xuéxiào yǒu shénme bù yíyàng ne? Nǐ kànle zhè piān wénzhāng jiù zhīdao le.

上星期三上午，我跟一位中国朋友一起去参观一个农民工孩子的学校。这位中国朋友是个女记者，不过她每星期一、星期三上午从
5 八点到九点半都在这个学校当志愿教师。

这个学校学生的父母都是从农村来到北京找工作的，他们的孩子不能去公立学校上学。这有两个原
10 因：一是因为这些孩子没有北京户口，二是因为他们的父母交不起公立学校的学费。而这个学校的学费半年只要300元。

当我们来到学校的时候，学生
15 们正在外边玩儿，他们见到我很高兴。很多学生跑过来让我给他们起英文名字。

上课了，我跟学生们一起走进教室。我看到教室里没有暖气，

志愿 zhìyuàn
to volunteer

教师 jiàoshī teacher

公立 gōnglì public

原因 yuányīn reason

户口 hùkǒu
registered permanent
residence

学费 xuéfèi
tuition fee

暖气 nuǎnqì heater

Shàng xīngqīsān shàngwǔ, wǒ gēn yí wèi Zhōngguó péngyou yìqǐ qù cānguān yí ge nóngmíngōng háizi de xuéxiào. Zhè wèi Zhōngguó péngyou shì ge nǚ jìzhě, búguò tā měi xīngqīyī、xīngqīsān shàngwǔ cóng bā diǎn dào jiǔ diǎn bàn dōu zài zhège xuéxiào dāng zhìyuàn jiàoshī.

Zhège xuéxiào xuésheng de fùmǔ dōu shì cóng nóngcūn láidào Běijīng zhǎo gōngzuò de, tāmen de háizi bù néng qù gōnglì xuéxiào shàngxué. Zhè yǒu liǎng ge yuányīn: yī shì yīnwèi zhèxiē háizi méiyou Běijīng hùkǒu, èr shì yīnwèi tāmen de fùmǔ jiāo bu qǐ gōnglì xuéxiào de xuéfèi. Ér zhège xuéxiào de xuéfèi bàn nián zhǐ yào sānbǎi yuán.

Dāng wǒmen láidào xuéxiào de shíhou, xuésheng-men zhèngzài wàibian wánr, tāmen jiàndào wǒ hěn gāoxìng. Hěn duō xuésheng pǎo guolai ràng wǒ gěi tāmen qǐ Yīngwén míngzi.

Shàngkè le, wǒ gēn xuéshengmen yìqǐ zǒujìn jiàoshì. Wǒ kàndào jiàoshì li méiyou nuǎnqì, zhuōzi

参观农民工子弟学校

20 桌子和椅子也很破旧，孩子们用的
课本是别的学生已经用过的。教室
里有五十多个学生，所以很挤，也
很吵。这里的条件跟公立学校比起
来，差得太多了。下课以后，学校
25 的校长告诉我，这个学校有一些志
愿教师，他们有的就住在学校里。
虽然这里的条件不好，教师的工资
也很少，但是，他们觉得每个孩子
都应该上学，都应该学习知识，所
30 以他们都很愿意当志愿教师。

　　我对这些志愿教师非常钦佩。
以后要是有时间，我也要来这个学
校当一名英语志愿教师。

破旧	pòjiù	old and shabby
挤	jǐ	crowded
吵	chǎo	noisy
校长	xiàozhǎng	headmaster
工资	gōngzī	salary
钦佩	qīnpèi	to admire

原名：《去外地工人子女学校参观》
选自：北京语言大学汉语速成学院留学生作文选四《留学在中国》

hé yǐzi yě hěn pòjiù, háizimen yòng de kèběn shì bié

de xuésheng yǐjīng yòngguo de. Jiàoshì li yǒu wǔshí

duō ge xuésheng, suǒyǐ hěn jǐ, yě hěn chǎo. Zhèli

de tiáojiàn gēn gōnglì xuéxiào bǐ qilai, chà de tài

duō le. Xiàkè yǐhòu, xuéxiào de xiàozhǎng gàosu

wǒ, zhège xuéxiào yǒu yìxiē zhìyuàn jiàoshī, tāmen

yǒude jiù zhù zài xuéxiào li. Suīrán zhèli de tiáojiàn

bù hǎo, jiàoshī de gōngzī yě hěn shǎo, dànshì,

tāmen juéde měi ge háizi dōu yīnggāi shàngxué,

dōu yīnggāi xuéxí zhīshi, suǒyǐ tāmen dōu hěn

yuànyì dāng zhìyuàn jiàoshī.

　　Wǒ duì zhèxiē zhìyuàn jiàoshī fēicháng qīnpèi.

Yǐhòu yàoshi yǒu shíjiān, wǒ yě yào lái zhège

xuéxiào dāng yì míng Yīngyǔ zhìyuàn jiàoshī.

参观农民工子弟学校

Wǒ Lái Xiě Liǎng Jù

(1) 为什么这个学校的学生不能去公立学校上学?
Wèi shénme zhège xuéxiào de xuésheng bù néng qù gōnglì xuéxiào shàngxué?

(2) 为什么志愿教师愿意来这个学校工作?
Wèi shénme zhìyuàn jiàoshī yuànyì lái zhège xuéxiào gōngzuò?

(3) 参观了这个学校以后,"我"想做什么?
Cānguānle zhège xuéxiào yǐhòu, "wǒ" xiǎng zuò shénme?

我在中国的那些日子

我来写两句

_____

_____

_____

_____

_____

_____

_____

1. 离家的时候

离家	lí jiā	집을 떠나다	家を離れる
埃塞俄比亚	Āisài'ébǐyà	에티오피아	エチオピア
父母	fùmǔ	부모	両親
非洲	Fēizhōu	아프리카	アフリカ
职员	zhíyuán	직원	社員
通信	tōngxìn	통신	通信
专业	zhuānyè	전공	専攻
选	xuǎn	선택하다	選ぶ
担心	dān xīn	걱정하다	心配する
想法	xiǎngfa	생각	考え
出国	chū guó	출국하다	海外へ行く
手续	shǒuxù	수속	手続き
果然	guǒrán	생각한대로	やはり
结婚	jié hūn	결혼하다	結婚
陪	péi	모시다	一緒にいる
机会	jīhui	기회	チャンス
就要	jiù yào	곧	もうすぐ～する
起飞	qǐfēi	이륙하다	離陸する
亲爱	qīn'ài	친애하다	親愛なる
祖国	zǔguó	조국	祖国

| 眼泪 | yǎnlèi | 눈물 | 涙 |
| 一下子 | yíxiàzi | 갑자기 | 一気に |

2. 我第一次来中国

瑞典	Ruìdiǎn	스웨덴	スウェーデン
遇到	yùdào	겪다	巡り合う
香港	Xiānggǎng	(지명)홍콩	(地名)ホンコン
回归	huíguī	반환하다	返還
盛大	shèngdà	성대하다	盛大な
庆典	qìngdiǎn	축전	式典
英国	Yīngguó	영국	イギリス
桂林	Guìlín	(지명) 구이린	(地名) 桂林
风景	fēngjǐng	경치	風景
山水	shānshuǐ	산수	山や川のある自然の風景
甲	jiǎ	제일이다	第一番目だ
天下	tiānxià	천하	天下
名胜古迹	míngshèng gǔjì	명승고적	名所旧跡
活力	huólì	활력	活気
旅游	lǚyóu	여행하다	旅行
长城	Chángchéng	만리장성	万里の長城
故宫	Gù Gōng	자금성	故宮
等等	děngděng	등등	などなど
差不多	chàbuduō	거의	ほとんど
烤鸭	kǎoyā	북경식 오리구이	北京ダック
京剧	jīngjù	경극	京劇
热闹	rènao	역동적이다	にぎやかだ
照相机	zhàoxiàngjī	카메라	カメラ
明白	míngbai	알다	わかる
当时	dāngshí	그 때	当時

我在中国的那些日子

惊讶	jīngyà	놀라다	驚く
城墙	chéngqiáng	성벽	城壁
不好意思	bù hǎoyìsi	겸연쩍다	恥ずかしい
印象	yìnxiàng	인상	印象
欧洲	Ōuzhōu	유럽	ヨーロッパ
差别	chābié	차이	差
奇怪	qíguài	이상하다	おかしい
同样	tóngyàng	마찬가지로	同様に
原因	yuányīn	이유	原因
好好儿	hǎohāor	잘	しっかり

3. 我就在中国不走了

伊朗	Yīlǎng	이란	イラン
专业	zhuānyè	전공	専攻
考	kǎo	시험 보다	(試験などを) 受ける
天赋	tiānfù	소질	才能
选择	xuǎnzé	선택하다	選択する
德黑兰	Déhēilán	(지명)테헤란	(地名) テヘラン
终于	zhōngyú	드디어	やっと
公布	gōngbù	공포하다	公表する
报纸	bàozhǐ	신문	新聞
慢慢儿	mànmānr	천천히	ゆっくり
我的天	wǒ de tiān	세상에	なんてことだ
甚至	shènzhì	심지어	～さえ
当时	dāngshí	그 때	当時
报到	bào dào	등록하다	入学手続き
书呆子	shūdāizi	책벌레	がり勉
假期	jiàqī	방학	休暇
旅游	lǚyóu	여행하다	旅行

生词韩文、日文注释

153

机会	jīhuì	기회	チャンス
机票	jīpiào	비행기표	飛行機のチケット
手续	shǒuxù	수속	手続き
遗憾	yíhàn	유감스럽다	残念だ
乘客	chéngkè	승객	乗客
聊天儿	liáo tiānr	이야기하다	おしゃべり
武术	wǔshù	무술	武術
教练	jiàoliàn	코치	コーチ
满意	mǎnyì	만족하다	満足する
信心	xìnxīn	자신	自信
幸运	xìngyùn	운이 좋다	幸運
做梦	zuò mèng	꿈을 꾸다	夢をみる
情愿	qíngyuàn	진심으로 원하다	心から願う
自信	zìxìn	자신	自信
进步	jìnbù	진보	上達
感到	gǎndào	느끼다	感じる
毕业	bì yè	졸업하다	卒業
娶	qǔ	장가가다	嫁にもらう
老婆	lǎopo	아내	妻
梦想	mèngxiǎng	꿈	夢
理想	lǐxiǎng	이상적이다	理想的な
恋爱	liàn'ài	연애하다	恋愛
结婚	jié hūn	결혼하다	結婚

4 我为什么爱北京

印度尼西亚	Yìndùníxīyà	인도네시아	インドネシア
记得	jìde	기억하고 있다	覚えている
广州	Guǎngzhōu	(지명)광저우	(地名) 广州
机会	jīhuì	기회	チャンス

我在中国的那些日子

154

想法	xiǎngfa	생각	考え
华侨	huáqiáo	화교	華僑
既……又……	jì……yòu……	~수도~수도	～も～も
流利	liúlì	유창하다	流暢だ
作为	zuòwéi	~으로서	として
地道	dìdao	본토의	本場の
独特	dútè	독특하다	独特な
名胜古迹	míngshèng gǔjì	명승고적	名所旧跡
故宫	Gù Gōng	자금성	故宮
颐和园	Yíhé Yuán	이화원	北京市の西郊にある大庭園
长城	Chángchéng	만리장성	万里の長城
动人	dòngrén	감동적이다	感動させる
皇帝	huángdì	황제	皇帝
传说	chuánshuō	전설	伝説
美食	měishí	맛있는 음식	美食
烤鸭	kǎoyā	북경식 오리구이	北京ダック
炸酱面	zhá jiàngmiàn	자장면	ジャージャー麺
涮羊肉	shuànyángròu	양고기 샤브샤브	羊肉のしゃぶしゃぶ
紧张	jǐnzhāng	긴장하다	緊張感を感じる
气候	qìhòu	기후	気候
干燥	gānzào	건조하다	乾燥している
生气	shēng qì	화내다	怒る
聊天儿	liáo tiānr	이야기하다	おしゃべり
慢慢儿	mànmānr	차츰	ゆっくり
其实	qíshí	사실	実は
忘记	wàngjì	잊어버리다	忘れる

5. 我理想的工作

理想	lǐxiǎng	이상적이다	理想の

生词韩文、日文注释

俄罗斯	Éluósī	러시아	ロシア
想法	xiǎngfa	생각	考え
既……又……	jì……yòu……	~수도~수도	～も～も
能力	nénglì	능력	能力
专业	zhuānyè	전공	専攻
比如	bǐrú	예를 들다	例えば
合资	hézī	합자하다	共同出資
越来越	yuè lái yuè	점점	ますます
提供	tígōng	제공하다	提供する
机会	jīhuì	기회	チャンス
另外	lìngwài	그밖에	その他に
不断	búduàn	끊임없이	絶え間なく
交流	jiāoliú	교류하다	交流
出差	chū chāi	출장하다	出張する
旅游	lǚyóu	여행하다	旅行する
薪水	xīnshuǐ	봉급	給料
加薪	jiā xīn	봉급을 인상하다	給料を上げる
特点	tèdiǎn	특징	特徴
适合	shìhé	적합하다	～にぴったりだ

6. 我们的好班长

班长	bānzhǎng	반장	クラス委員長
韩国	Hánguó	한국	韓国
热心	rèxīn	열성적이다	熱心な
优点	yōudiǎn	장점	長所
黄哲夏	Huáng Zhéxià	인명	人名
慢慢儿	mànmānr	천천히	ゆっくり
花花公子	huāhuā gōngzǐ	바람둥이	プレイボーイ
按时	ànshí	제 시간에	時間通り

发音	fāyīn	발음	発音
进步	jìnbù	진보	上達
毅力	yìlì	의지	粘り強い意志
刮风	guā fēng	바람이 불다	風が吹く
瘦	shòu	마르다	痩せる
帅	shuài	멋있다	ハンサムだ
才干	cáigàn	능력	(物事を処理する) 能力
印尼	Yìnní	인도네시아	インドネシア
咖喱	gālí	카레	カレー
牛肉	niúròu	쇠고기	牛肉
相片	xiàngpiàn	사진	写真
满意	mǎnyì	만족하다	満足する
快乐	kuàilè	즐거움	楽しい
笑声	xiàoshēng	웃음 소리	笑い声
羡慕	xiànmù	부러워하다	羨ましがる

7. 一件有趣的事

有趣	yǒuqù	재미있다	面白い
韩国	Hánguó	한국	韓国
可笑	kěxiào	우습다	滑稽だ
经历	jīnglì	경험하다	経験する
前年	qiánnián	재작년	おととし
旅游	lǚyóu	여행하다	旅行する
紧张	jǐnzhāng	긴장하다	緊張する
广场	guǎngchǎng	광장	広場
到处	dàochù	가는 곳마다	至る所
建筑	jiànzhù	건축물	建築物
小心	xiǎoxīn	조심하다	気をつける
踩	cǎi	밟다	踏む

生词韩文、日文注释

重	zhòng	심하다	ひどい
生气	shēng qì	화내다	怒る
不好意思	bù hǎoyìsi	미안하다	申し訳なく思う
道歉	dào qiàn	사과하다	謝罪する
突然	tūrán	갑자기	突然
狠狠地	hěnhěn de	매섭게	キッと（にらみつける）
礼貌	lǐmào	예의	礼儀
明白	míngbai	알다	わかる

8. "纸火车笔" 的笑话

笑话	xiàohua	우스운 이야기	笑い話
刚果（金）	Gāngguǒ (Jīn)	콩고민주공화국	コンゴ民主共和国
猜	cāi	추측하다	推測する
来自	lái zì	(~에서) 오다	～から来る
表扬	biǎoyáng	칭찬하다	褒める
骄傲	jiāo'ào	교만하다	誇らしく思う
试	shì	시험해 보다	試す
售货员	shòuhuòyuán	점원	店員
惊讶	jīngyà	놀라다	驚く
哟	yō	어	あらっ
马马虎虎	mǎmahūhū	그저 그렇다	まあまあ
另	lìng	다른	他の
火车站	huǒchēzhàn	기차역	駅
解释	jiěshì	설명하다	説明する
怪不得	guàibude	어쩐지	道理で
哎呀	āiyā	아이고	あーあ
发音	fāyīn	발음	発音
错误	cuòwù	틀리다	誤り

9. "扣肉" 还是 "可乐"

扣肉	kòuròu	저민 돼지고기를 찐 요리	豚肉の蒸し料理
可乐	kělè	콜라	コーラ
韩国	Hánguó	한국	韓国
发音	fāyīn	발음	発音
忍不住	rěn bu zhù	참지 못하다	我慢できずに
闹笑话	nào xiàohua	웃음거리가 되다	笑えるような失態を演じた
丈夫	zhàngfu	남편	夫
紧张	jǐnzhāng	긴장하다	緊張する
答应	dāying	대답하다	了解した
感到	gǎndào	느끼다	感じる
端	duān	들다	運ぶ
盘	pán	(양사) 접시	(量詞)皿
奇怪	qíguài	이상하다	おかしい
准	zhǔn	정확하다	正しい
地缝	dìfèng	구멍	隙間
钻	zuān	(뚫고) 들어가다	もぐり込む
不好意思	bù hǎoyìsi	겸연쩍다	恥ずかしい
味道	wèidao	맛	味
遇到	yùdào	겪다	巡り合う
笑话	xiàohua	우스운 이야기	笑い話

10. 有趣的中国歌

有趣	yǒuqù	재미있다	面白い
兴趣	xìngqù	흥미	興味
不管	bùguǎn	~을 막론하고	どんな~でも
香港	Xiānggǎng	(지명)홍콩	(地名)ホンコン
粤语	Yuèyǔ	광동어	広東語

生词韩文、日文注释

普通话	pǔtōnghuà	보통화(중국 표준어)	中国標準語
歌手	gēshǒu	가수	歌手
王菲	Wáng Fēi	인명	人名
卡拉OK	kǎlā-OK	노래방	カラオケ
流利	liúlì	유창하다	流暢だ
模仿	mófǎng	흉내내다	真似をする
歌词	gēcí	가사	歌詞
发音	fāyīn	발음	発音
明白	míngbai	알다	わかる
比如	bǐrú	예를 들다	例えば
首	shǒu	(양사)곡	(量詞) 〜曲
假	jiǎ	거짓	偽り
坏人	huàirén	나쁜 사람	悪人
诗	shī	시	詩
理解	lǐjiě	이해하다	理解する
尽头	jìntóu	끝	終わり
永垂不朽	yǒng chuí bù xiǔ	영원하다	永久に朽ちることがない
解释	jiěshì	설명하다	説明
红豆	hóngdòu	팥	小豆
奇怪	qíguài	이상하다	おかしい
红豆沙	hóngdòushā	단팥	あんこ
遗憾	yíhàn	유감스럽다	残念だ
结束	jiéshù	끝나다	終わる

11. 中国菜又好吃又有趣

有趣	yǒuqù	재미있다	面白い
英国	Yīngguó	영국	イギリス
油	yóu	기름	油

我在中国的那些日子

奇怪	qíguài	이상하다	おかしい
味道	wèidao	맛	味
聊天儿	liáo tiānr	이야기하다	おしゃべり
比如	bǐrú	예를 들다	例えば
四川	Sìchuān	(지명)쓰촨	(地名) 四川
辣	là	맵다	辛い
广东	Guǎngdōng	(지명)광둥	(地名) 広東
敢	gǎn	용기가 있다	～する勇気がある
全聚德	Quánjùdé	식당 이름	店名
烤鸭	kǎoyā	북경식 오리구이	北京ダック
传统	chuántǒng	전통	伝統的な
做法	zuòfa	만드는 법	やり方
厨师	chúshī	요리사	コック
切	qiē	자르다	切る
火锅	huǒguō	신선로	鍋もの
关于	guānyú	~에 관한	～について
穷	qióng	가난하다	貧しい
辣椒	làjiāo	고추	唐辛子
于是	yúshì	그래서	そして
锅	guō	솥	鍋
煮	zhǔ	끓이다	煮る
特色	tèsè	특색	特色
中秋节	Zhōngqiū Jié	추석	中秋節
月饼	yuèbing	월병	月餅
端午节	Duānwǔ Jié	단오절	端午の節句
粽子	zòngzi	중국 단오절에 먹는 음식	チマキ
春节	Chūn Jié	음력설	春節、旧暦の正月

生词韩文、日文注释

盘	pán	(양사) 접시	(量詞) 皿
特有	tèyǒu	고유하다	独特の
民俗	mínsú	민속	民間の慣わし
屈原	Qū Yuán	인명	人名
灭亡	mièwáng	멸망하다	滅亡する
伤心	shāngxīn	슬퍼하다	心を痛める
扔	rēng	던지다	捨てる
过程	guòchéng	과정	過程

12. 坐公共汽车的经历

经历	jīnglì	경험하다	経験する
尼泊尔	Níbó'ěr	네팔	ネパール
遇到	yùdào	겪다	巡り合う
挤	jǐ	붐비다	混んでいる
好不容易	hǎobù róngyì	겨우	やっと
售票员	shòupiàoyuán	매표원	切符を売る人
票	piào	표	切符
惊讶	jīngyà	의아하다	驚く
明白	míngbai	알다	わからない
量词	liàngcí	양사(사람이나 사물 또는 동작을 세는 단위를 나타 내는 품사)	助数詞、量詞
减	jiǎn	감하다	減らす
空	kòng	비다	空く
座位	zuòwèi	좌석	席
另	lìng	다른	他の
冰淇淋	bīngqílín	아이스크림	アイスクリーム
报纸	bàozhǐ	신문	新聞

正常	zhèngcháng	정상적이다	正常
放心	fàng xīn	안심하다	安心する
笑声	xiàoshēng	웃음 소리	笑い声
慢慢儿	mànmānr	천천히	ゆっくり
巴基斯坦	Bājīsītǎn	파키스탄	パキスタン
伊朗	Yīlǎng	이란	イラン
可笑	kěxiào	우습다	滑稽だ
后悔	hòuhuǐ	후회하다	後悔する
好好儿	hǎohāor	잘	きちんと
糊涂	hútu	헷갈리다	混乱した
猜	cāi	추측하다	推測する
头发	tóufa	머리카락	髪
忍不住	rěn bu zhù	참지 못하다	我慢できずに
聊	liáo	이야기하다	おしゃべりする
费劲	fèi jìn	힘을 들이다	苦労する
传	chuán	퍼지다	伝わる
终于	zhōngyú	마침내	やっと

13. 在火车上了解中国人的习俗

习俗	xísú	관습	風俗習慣
意大利	Yìdàlì	이탈리아	イタリア
尊重	zūnzhòng	존중하다	尊重する
好好儿	hǎohāor	잘	きちんと
看法	kànfa	견해	見方
各地	gè dì	각지	各地
五一	Wǔ-Yī	노동절	メーデー
依莲	Yīlián	인명	人名
苏州	Sūzhōu	(지명) 쑤저우	地名
旅游	lǚyóu	여행하다	旅行

生词韩文、日文注释

票	piào	표	切符
好不容易	hǎobù róngyì	겨우	やっと
差不多	chàbuduō	거의	大体
聊天儿	liáo tiānr	이야기하다	おしゃべり
车厢	chēxiāng	객차	車両
感到	gǎndào	느끼다	感じる
新奇	xīnqí	신기하다	目新しい
平时	píngshí	평상시	普段
流利	liúlì	유창하다	流暢
争	zhēng	경쟁하다	争う
奶奶	nǎinai	할머니	祖母
私事	sīshì	사적인 일	私事
为难	wéinán	난처하다	困る
实在	shízài	정말	本当に
不好意思	bù hǎoyìsi	곤란하다	困る
欧洲	Ōuzhōu	유럽	ヨーロッパ
打听	dǎting	물어보다	尋ねる
生气	shēng qì	화내다	怒る
礼貌	lǐmào	예의	礼儀
夸奖	kuājiǎng	칭찬하다	褒める
零食	língshí	간식	おやつ
瓜子	guāzǐ	볶은 씨	ヒマワリの種
尝	cháng	맛보다	味見をする
聊	liáo	이야기하다	おしゃべりする

14. 手机的故事

手机	shǒujǐ	휴대 전화	携帯電話
印度尼西亚	Yìndùníxīyà	인도네시아	インドネシア
娱乐	yúlè	오락	娯楽

忘不了	wàng bu liǎo	잊을 수 없다	忘れられない
学期	xuéqī	학기	学期
锁	suǒ	잠기다	鍵を閉める
一下子	yíxiàzi	갑자기	一気に
软	ruǎn	힘이 풀리다	柔らかい
再说	zàishuō	게다가	それに
正好	zhènghǎo	마침	ちょうど
说不定	shuōbudìng	~일지도 모른다	ひょっとすると
牌子	páizi	상표	ブランド
等等	děngděng	등등	などなど
难道	nándào	설마 ~란 말인가?	まさか
号码	hàomǎ	번호	番号
突然	tūrán	갑자기	突然
铃声	língshēng	벨소리	着メロ
感动	gǎndòng	감동하다	感動する
其实	qíshí	사실	その実
看法	kànfa	견해	見方
越来越	yuè lái yuè	점점	ますます
捡	jiǎn	줍다	拾う

15. 中国人特别喜欢孩子

澳大利亚	Àodàlìyà	오스트레일리아	オーストラリア
猜	cāi	추측하다	推測する
结婚	jié hūn	결혼하다	結婚
轻松	qīngsōng	홀가분하다	楽だ
习俗	xísú	관습	風俗習慣
丈夫	zhàngfu	남편	夫
快乐	kuàilè	즐거움	喜び
圈子	quānzi	범위	範囲

生词韩文、日文注释

印象	yìnxiàng	인상	印象
小区	xiǎoqū	단지	団地
好奇	hàoqí	호기심이 있다	好奇心がある
轻轻地	qīngqīng de	가볍게	軽く
摸	mō	만지다	触る
亲吻	qīnwěn	입을 맞추다	キスをする
甚至	shènzhì	심지어	〜さえ
奇怪	qíguài	이상하다	おかしい
理解	lǐjiě	이해하다	理解する
随便	suíbiàn	마음대로	勝手に
人家	rénjia	다른 사람	他の人
礼貌	lǐmào	예의	礼儀
对待	duìdài	대하다	応対する
叔叔	shūshu	아저씨	おじさん
阿姨	āyí	아주머니	おばさん
夸奖	kuājiǎng	칭찬하다	褒める
感到	gǎndào	느끼다	感じる
寂寞	jìmò	적적하다	さびしい

16. 这件事我永远忘不了

忘不了	wàng bu liǎo	잊을 수 없다	忘れがたい
讨价还价	tǎo jià huán jià	흥정하다	値段交渉する
五道口	Wǔdàokǒu	(지명) 우다오커우	地名
逛	guàng	거닐다	ぶらぶらする
鞋	xié	신발	靴
犹豫	yóuyù	망설이다	ためらう
售货员	shòuhuòyuán	점원	店員
质量	zhìliàng	품질	質
价钱	jiàqian	가격	値段

当时	dāngshí	그 때	当時
压	yā	낮추다	抑える
放心	fàng xīn	마음을 놓다	安心する
于是	yúshì	그래서	そして
突然	tūrán	갑자기	突然
生气	shēng qì	화내다	怒る
耍	shuǎ	가지고 놀다	ばかにする
自尊心	zìzūnxīn	자존심	自尊心
伤害	shānghài	상하다	傷つける
感觉	gǎnjué	느끼다	感じる
了结	liǎojié	끝나다	解決する
用力	yòng lì	힘을 주다	力いっぱい
火气	huǒqì	화	怒り
越来越	yuè lái yuè	점점	ますます
害怕	hàipà	무서워하다	怖がる
输	shū	지다	負ける
僵持不下	jiāngchí bú xià	서로 대치하다	持ちこたえきれない
说服	shuōfú	설득하다	説得する
仍然	réngrán	여전히	相変わらず
竟然	jìngrán	뜻밖에	思いがけず
解脱	jiětuō	벗어나다	解放
答应	dāying	동의하다	承諾する
塞翁失马	sài wēng shī mǎ	새옹지마	人生の幸不幸は予測できない
成语	chéngyǔ	성어	成語

17. 中国学生真刻苦

刻苦	kèkǔ	열심히 하다	骨身を削って努力する
越南	Yuènán	베트남	ベトナム

生词韩文、日文注释

之后	zhīhòu	~한 이후	～の後
明确	míngquè	명확하다	明確な
目标	mùbiāo	목표	目標
前进	qiánjìn	전진하다	前進する
决心	juéxīn	결심	決意
谈话	tán huà	이야기하다	話をする
朝气	zhāoqì	패기	活力
追求	zhuīqiú	추구하다	追求する目標
感到	gǎndào	느끼다	感じる
精力	jīnglì	에너지	エネルギー
奇怪	qíguài	이상하다	おかしい
竞争	jìngzhēng	경쟁	競争
激烈	jīliè	치열하다	激しい
淘汰	táotài	도태하다	淘汰する
赶	gǎn	따라가다	追いつく
不仅	bùjǐn	~일 뿐만 아니라	～ばかりでなく
高中	gāozhōng	고등학교	高校
初中	chūzhōng	중학교	中学
过年	guò nián	새해를 맞다	新年
甚至	shènzhì	심지어	～さえも
考	kǎo	시험 보다	(試験などを) 受ける
浪费	làngfèi	낭비하다	無駄にする
惊讶	jīngyà	놀라다	驚く
相邻	xiāng lín	인접하다	隣接する
存在	cúnzài	존재하다	存在する
差距	chājù	격차	違い
无论	wúlùn	~을 막론하고	どんな～だろうと
代	dài	세대	代

我在中国的那些日子

热爱	rè'ài	애착을 갖다	深く愛する
未来	wèilái	미래	将来
充满	chōngmǎn	가득차다	～で満ちている

18. 一位走出村庄的农民

村庄	cūnzhuāng	마을	村
贝宁	Bèiníng	베냉	ベニン共和国
从来	cónglái	지금까지	今まで
皮肤	pífū	피부	皮膚
地铁	dìtiě	지하철	地下鉄
奇怪	qíguài	이상하다	おかしい
大使馆	dàshǐguǎn	대사관	大使館
谈话	tán huà	이야기하다	話す
好奇	hàoqí	호기심이 있다	好奇心がある
忍不住	rěn bu zhù	참지 못하다	我慢できずに
非洲	Fēizhōu	아프리카	アフリカ
手背	shǒubèi	손등	手の甲
生气	shēng qì	화내다	怒る
批评	pīpíng	꾸짖다	批判する
不好意思	bù hǎoyìsi	미안하다	申し訳なく思う
抹	mǒ	바르다	塗る
天生	tiānshēng	선천적이다	生まれつき
摸	mō	만지다	触る
建国门	Jiànguó Mén	(지명) 젠궈먼	地名
地址	dìzhǐ	주소	住所
肤色	fūsè	피부색	肌の色
道歉	dào qiàn	사과하다	謝罪する
勇气	yǒngqì	용기	勇気

生词韩文、日文注释

169

19. 北京的丈夫怎么对待妻子

丈夫	zhàngfu	남편	夫
对待	duìdài	대하다	応対する
妻子	qīzi	아내	妻
印度尼西亚	Yìndùníxīyà	인도네시아	インドネシア
家务	jiāwù	집안일	家事
印尼	Yìnní	인도네시아의 약칭	インドネシアの略称
白天	báitiān	낮	昼間
下班	xià bān	퇴근하다	勤めがひける
报纸	bàozhǐ	신문	新聞
阿姨	āyí	아주머니	おばさん
亲戚	qīnqi	친척	親戚
叔叔	shūshu	아저씨	おじさん
吃惊	chī jīng	놀라다	驚く
看法	kànfa	견해	見方
想法	xiǎngfa	생각	考え
愿意	yuànyì	~하고 싶어하다	～することを望む
具体	jùtǐ	구체적이다	具体的だ
看来	kànlái	보아하니	見たところ
越来越	yuè lái yuè	점점	ますます

20. 参观农民工子弟学校

农民工	nóngmíngōng	농민 근로자	出稼ぎ農民
子弟	zǐdì	자녀	子供
英国	Yīngguó	영국	イギリス
父母	fùmǔ	부모	両親
志愿	zhìyuàn	지원자	ボランティア
教师	jiàoshī	교사	教師

我在中国的那些日子

公立	gōnglì	공립의	公立
原因	yuányīn	원인	原因
户口	hùkǒu	호적	戸籍
学费	xuéfèi	학비	学費
暖气	nuǎnqì	히터	暖房
破旧	pòjiù	낡다	古くてぼろぼろだ
挤	jǐ	붐비다	混んでいる
吵	chǎo	시끄럽다	うるさい
校长	xiàozhǎng	교장	校長
工资	gōngzī	봉급	給料
钦佩	qīnpèi	탄복하다	感服する

生词韩文、日文注释

Shēngcí Suǒyǐn
生词索引

生词索引

我在中国的那些日子

生词索引

批评	pīpíng	18	热闹	rènao	2
皮肤	pífū	18	热心	rèxīn	6
票	piào	12, 13	人家	rénjia	15
平时	píngshí	13	忍不住	rěn bu zhù	9, 12, 18
破旧	pòjiù	20	扔	rēng	11
普通话	pǔtōnghuà	10	仍然	réngrán	16
Q			软	ruǎn	14
妻子	qīzi	19	**S**		
其实	qíshí	4, 14	塞翁失马	sài wēng shī mǎ	16
奇怪	qíguài	2, 9, 10, 11, 15, 17, 18	山水	shānshuǐ	2
起飞	qǐfēi	1	伤害	shānghài	16
气候	qìhòu	4	伤心	shāngxīn	11
前进	qiánjìn	17	甚至	shènzhì	3, 15, 17
前年	qiánnián	7	生气	shēng qì	4, 7, 13, 16, 18
切	qiē	11	盛大	shèngdà	2
钦佩	qīnpèi	20	诗	shī	10
亲爱	qīn'ài	1	实在	shízài	13
亲戚	qīnqi	19	试	shì	8
亲吻	qīnwěn	15	适合	shìhé	5
轻轻地	qīngqīng de	15	手背	shǒubèi	18
轻松	qīngsōng	15	手机	shǒujī	14
情愿	qíngyuàn	3	手续	shǒuxù	1, 3
庆典	qìngdiǎn	2	首	shǒu	10
穷	qióng	11	售货员	shòuhuòyuán	8, 16
娶	qǔ	3	售票员	shòupiàoyuán	12
圈子	quānzi	15	瘦	shòu	6
R			书呆子	shūdāizi	3
热爱	rè'ài	17	叔叔	shūshu	15, 19

我在中国的那些日子

生词索引

我在中国的那些日子

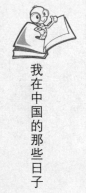

我在中国的那些日子

图书在版编目（CIP）数据

我在中国的那些日子：甲级读本：汉文、英文、韩文、
日文/方玲编.—北京：北京语言大学出版社，2008.12
（实用汉语分级阅读丛书/崔永华主编）
ISBN 978-7-5619-2261-3

Ⅰ．我… Ⅱ．方… Ⅲ．汉语—对外汉语教学—语言读物
Ⅳ．H195.5

中国版本图书馆CIP数据核字（2008）第192992号

书　　　名：	实用汉语分级阅读丛书（甲级读本）·我在中国的那些日子		
中文编辑：	周　鹂	英文编辑：	侯晓娟
韩文翻译：	[韩]边成妍	韩文编辑：	崔　虎
日文翻译：	[日]野田宽达	日文编辑：	崔　虎
责任印制：	汪学发		

出版发行：**北京语言大学出版社**

社　　　址：北京市海淀区学院路15号　　　　邮政编码：100083
网　　　址：www.blcup.com
电　　　话：发行部 82303650/3591/3651
　　　　　　编辑部 82303647
　　　　　　读者服务部 82303653/3908
　　　　　　网上订购电话 82303668
　　　　　　客户服务信箱 service@blcup.net
印　　　刷：北京画中画印刷有限公司
经　　　销：全国新华书店

版　　　次：2008年12月第1版　　2008年12月第1次印刷
开　　　本：710毫米×1000毫米　　　　1/16　　　印张：12
字　　　数：128千字　　　　印数：1-3000
书　　　号：ISBN 978-7-5619-2261-3/H·08250
定　　　价：25.00元

凡有印装质量问题，本社负责调换。电话：82303590